Le cœur des recherches

Grégory Gerard

Le cœur des recherches

Roman

LE LYS BLEU
ÉDITIONS

Au professeur Luc Montagnier,
Prix Nobel de médecine en 2008,
Ainsi qu'à toutes les victimes du terrorisme,
qu'il soit religieux, idéologique ou d'état.

Le jour viendra où vous penserez que tout est fini. Ce sera le commencement.

Louis L'amour

Banlieue d'Adelaïde, Australie, 29 juin 1986

Épuisé, il s'endort sur son volant. La semi-remorque de trente tonnes fait aussitôt une violente embardée sur la droite et traverse le terre-plein de la voie à double sens, ne laissant aucune chance à la petite Ford de Judith et Samuel qui s'encastre dans son essieu arrière à grande vitesse. Les premiers témoins sortent de leurs véhicules, obligés de s'approcher au plus près du drame pour apercevoir la citadine qui n'est plus qu'un bloc de tôle compressé sous la remorque du camion, comme soudée à elle. À l'intérieur, Samuel est prisonnier du toit. Un toit plié comme le rabat d'une enveloppe froissée. Son sang coule goutte à goutte sur les jambes de sa femme, allongée sur le plancher, elle-même incarcérée entre la banquette arrière et le tableau de bord, ces deux éléments désormais séparés de seulement quelques centimètres après la violence inouïe du choc. À peine Judith a-t-elle le temps de réaliser que son mari n'est plus, ses yeux se ferment dans un dernier râle.

Depuis plus de 5 minutes déjà, Matthew masse le cœur de Judith en rythme quand Stephany y intercale des insufflations au ballon à oxygène. L'équipe de secours est arrivée rapidement sur les lieux, mais dans leur esprit, l'acharnement médical dont ils font preuve maintenant ne sert finalement qu'à justifier la grande difficulté qu'ils ont éprouvée à désincarcérer ce corps meurtri.

— Putain, t'as vu qui c'est ? s'exclame Matthew tout en massant.

— Non ? Pourquoi… tu la connais ?

— Bah, c'est la présentatrice de télé, non ? Judith Hopper ?

— Oh merde t'as raison… on dirait bien oui…

Le médecin arrive enfin sur les lieux et regarde les constantes de Judith.

— Ça fait combien de temps ?

— Presque 10 minutes, répond Stéphany.

Il inspire profondément sous le regard de l'équipe d'urgence qui comprend immédiatement.

— Bon, les enfants, je crois qu'on peut arrêter. Vous avez fait du bon travail.

Heure du décès ?

— 8 h 36 à ma montre, répond Matthew en reprenant son souffle.

Il se lance à débrancher l'appareillage médical de la dépouille quand Stéphany l'en empêche soudainement en projetant son bras en barrage.

— Attends, je crois qu'il y a quelque chose… On a un pouls…

Le médecin s'agenouille à ses côtés et constate l'incroyable.

— Oh oui nom de Dieu… Elle est revenue… Allez, on l'intube. Bravo les enfants.

Chapitre 1
Les signaux

L'homme est un accident de parcours dans un cosmos vide et froid. Il est un enfant du hasard.

Hubert Reeves

Alban fait mine de ne pas y penser, mais tout lui rappelle la fin des vacances. Le petit déjeuner de ce matin, où les nouveaux arrivants commencent déjà à se sentir chez eux après seulement deux jours, le ramène trois semaines auparavant. Pour le retour, le décalage horaire sera difficile à digérer, et c'est au boulot qu'il devra réadapter son horloge interne. Il tente encore une fois de chasser cette idée de sa tête et déplie maintenant sa serviette sur le sable fin. Il sort son radiocassette puis se couche en se servant de son sac comme oreiller. La plage est quasi déserte à cette heure matinale, alors il appuie sur le bouton « lecture ».

« J'ai du succès dans mes affaires, j'ai du succès dans mes amours, je change souvent de secrétaire.

J'ai mon bureau en haut d'une tour, d'où je vois la ville à l'envers, d'où je contrôle mon univers… »

La bouche ouverte, il somnole dès les premières paroles de sa chanson préférée. D'autres riches vacanciers commencent à arriver sur la plage privée de l'hôtel Saint-Régis de Bora Bora, puis passent leur chemin en regardant Alban. Ils posent leurs affaires plus loin, cherchant eux aussi leur tranquillité mais ne voulant surtout pas déranger la sienne. Alban ouvre un œil. Sa femme sort de l'eau et s'approche de lui. Il se redresse.

— Alors elle est bonne ?

— Oh que oui… Maintenant un bon cocktail.

— Il n'est que 9 heures du matin ma chérie, on va attendre un peu peut-être ?

— Le temps de rentrer et de prendre une douche, il sera bien l'heure.

Célia a pris l'habitude de boire un cocktail sur la terrasse de leur luxueux appartement privé de l'hôtel, toujours en milieu de matinée, et ce depuis le premier jour des vacances. Toujours le même, un « Colonel » bien dosé en vodka. Elle y tient. Elle qui d'ordinaire ne boit que très peu, savoure désormais ce breuvage lui faisant tourner la tête dès la première gorgée. C'est la démarche lente qu'ils reprennent le chemin les menant jusqu'à l'hôtel, et à cet instant, il est très facile de deviner ce qu'ils ont en tête : « Les petits matins au paradis, c'est terminé ». Ils passent le hall d'accueil où un jeune couple fraîchement arrivé feuillette les brochures d'activités de l'hôtel. Du jet ski à l'hélicoptère en passant par la sortie aux dauphins, Alban et Célia les ont toutes faites, plusieurs fois même pour certaines. Elle ouvre la porte de leur appartement, puis prend immédiatement la direction du téléphone. C'est en la refermant et en posant ses affaires de plage dans l'entrée qu'Alban la voit déjà composer le numéro de la réception. Il s'assoit sur le canapé puis l'observe. Elle semble attendre qu'un interlocuteur daigne lui répondre, et il aperçoit une forme d'agacement se dessiner sur le visage de sa femme. Merde, se dit-il. Il lui faut sa dose quotidienne et à heure fixe désormais. Elle raccroche maintenant le téléphone dans un soulagement perceptible puis vient s'avachir sur le canapé en déposant sa tête sur les cuisses d'Alban.

— J'ai pas envie de rentrer…

— Moi non plus. Mais c'est comme ça. Toi au moins, tu bosses pas.

— Ho… Tu te plains mais je suis sûre que t'es content de le retrouver ton boulot.

Alban sourit.

— Un peu, c'est vrai, mais une semaine de plus…

— Et alors comme ça je bosse pas ? T'es gonflé quand même !

— Oui, oui, mais toi tu travailles de la maison. J'aimerais bien moi.

Célia regarde son mari avec un petit sourire.

— On serait deux alors ? On ne se supporterait pas. Mais de toute façon, tu te fous de ma gueule, je le sais. T'es content de reprendre le boulot et d'y retourner dans ton centre. Ça t'a manqué, pendant 3 semaines.

Alban lui rend son sourire. Oui, il adore son métier. Après ses études d'ingénieur et son doctorat en poche, il avait aussitôt choisi de consacrer sa vie à l'astrophysique. Les débouchés étaient pourtant très minces, et le seul recruteur potentiel au Canada n'était déjà à l'époque que le centre spatial de Saint Hubert, dont il passa immédiatement le concours d'entrée. Une réussite. Haut la main même, ce qui lui avait valu le respect des doyens de l'institution qui voyaient en lui un élément clé dans la poursuite de leur travail. Il y sacrifia en revanche sa vie privée, et c'est dans ce contexte qu'il rencontra Célia lors d'un déplacement professionnel au Portugal, il y a 4 ans. Une conférence à laquelle elle assistait par curiosité l'a fait tomber amoureuse de ce petit gringalet au look de premier de la classe. Il avait parlé avec tant de passion de l'univers et de sa création qu'elle en avait rêvé la nuit suivante. De lui et de l'univers. Elle était revenue le lendemain, vêtue de sa robe rouge, tranchant avec le sombre des costumes cravates du reste de la salle pleine à craquer. S'il avait été marié, il aurait divorcé, se disait-elle. Il était célibataire, et repartit en couple, mais en retard d'une semaine par rapport à la date prévue.

Célia est artiste-peintre et a commencé à vendre ses premières toiles lorsqu'elle est arrivée au Québec. Elle s'est depuis diversifiée et se distingue dans l'illustration graphique. Beaucoup d'images de manuels scolaires d'histoire-géographie portent sa griffe, pour l'enseignement secondaire essentiellement. De l'argent, ils en ont, mais pour ce qui est du temps libre pour en profiter, c'est une autre histoire. Leurs trois semaines à Bora Bora furent leurs premières vacances depuis leur rencontre.

Quand Célia peut elle-même organiser son emploi du temps, Alban, lui, ne choisit pas ses jours de congés. Là ou n'importe quel employé ferait appel au syndicat pour protester quant à son rythme de travail, Alban se rend au centre spatial non seulement chaque jour de la semaine avec des horaires lui faisant souvent voir le soleil se lever et se coucher de son bureau, mais aussi quelques fois les week-ends et jours fériés. Un rythme effréné qui semble pourtant le satisfaire. Jamais il n'a pesté, ni même rechigné à se rendre au centre sur un simple coup de téléphone. Célia quant à elle ne dit rien. Il l'avait prévenue dès le début de leur relation. « Je t'aime, mais j'aime mon métier », et il ne manquait d'ailleurs pas de lui rappeler le contexte de leur rencontre. « Si je suis venu au Portugal, c'est grâce au centre, et si tu m'as aimé, c'est aussi grâce à ce que j'y fais ». Célia lui répond toujours avec un sourire, en l'accompagnant quelques fois d'un simple petit « oui » tout en douceur.

La sonnette de leur luxueux appartement retentit, et Célia se lève d'un bond en s'appuyant sur les cuisses de son mari. Elle ouvre la porte et accueille poliment le Polynésien qui se trouve derrière avec un petit chariot sur lequel est posé un plateau. Elle le prend en remerciant l'employé d'une minauderie souriante, puis se rend lentement vers le canapé et s'empresse de prendre son verre pour finalement en aspirer une gorgée de la paille.

Alban attrape sa « Hinano », une bière tahitienne, puis l'apporte directement à ses lèvres sans en vider son contenu dans le verre prévu à cet effet.

Du sel de mer séché brille sur la joue de Célia.

— Tu devais pas prendre une douche avant de te saouler ?

Célia finit d'avaler sa deuxième gorgée.

— Ho… C'est toi qui me saoules. C'est encore les vacances non ? Si je veux puer, je peux.

— OK, mais si tu prends pas de douche avant ce soir, tu dors sur le canapé, enfin où tu veux mais pas dans le lit avec moi !

— Pas de problème. J'vais puer pendant un mois et on en reparle… répond Célia en riant.

Alban éclate de rire. Il se lève puis se dirige vers la baie vitrée sa bière à la main. Il contemple l'océan Pacifique, à défaut du lagon bien plus net et bien plus bleu, mais situé de l'autre côté de leur appartement. Même en plein jour, la lune est bien visible, et c'est désormais sur elle que son regard se porte.

Un astre, sa vie. Alban préfère la nuit, et surtout ici. La faible pollution lumineuse permet d'admirer les étoiles par millier. Il y reste toujours aussi longtemps qu'il le peut, avant que Célia ne le tire finalement de ses songes, le laissant quand même et à chaque fois profiter quelques minutes de son ciel chéri.

— Y'a pas d'étoiles à c't'heure-ci vient lui susurrer Célia dans l'oreille et l'enlaçant tendrement par derrière.

Alban lui montre la lune d'un index tendu, sans un mot, puis se retourne et la serre dans ses bras pour l'embrasser.

— Y'a toujours des étoiles. On ne les voit pas, c'est tout.

Il l'embrasse encore puis continue sa phrase.

— Elles, elles nous voient...

— Haha... ça t'excite d'être espionné...

Alban porte maintenant sa femme dans leur chambre. Il est 11 h 12, et leur avion décolle de Bora Bora demain matin à 6 h pour un changement à Papeete à 9 h 35, et un retour à Montréal via Los Angeles. Les belles vacances sont finies. Les plus belles de leur histoire, se disent-ils, couchés sur le lit à eau de leur suite à 1400 dollars la nuit.

En ce matin du 13 septembre 1986, le soleil est de la partie, comme pour les narguer. C'est avec leurs bagages sur le chariot qu'ils attendent leur correspondance à l'aéroport de Tahiti. Célia est assise sur la grosse valise, Alban debout à ses côtés, s'intéressant au panneau des vols aux départs.

— Dis au revoir aux palmiers, on embarque porte 1.

Ils se dirigent vers les embarquements où la guérite des douanes devient synonyme de non-retour. Célia tend son passeport ainsi que celui de son mari, puis elle se retourne. Iris, la pilote d'hélico qui les avait emmenés en balade au-dessus des époustouflants paysages, les interpelle de loin d'une main levée avec un franc sourire.

Elle est en chemisette blanche galonnée, et attend visiblement ses passagers du jour dans le hall de l'aéroport. Alban et Célia lui répondent d'un signe de main enthousiaste, puis disparaissent dans la zone de duty-free.

Un début de vol plaisant. Tout commence avec le sur classement dont bénéficie le jeune couple dès leur montée dans l'avion, pour la branche Papeete – Los Angeles. Ces choses-là sont rares se dit Alban, quand Célia ne se pose pas de questions et commence déjà à apprécier l'espace disponible dont elle bénéficiera lorsqu'elle arrive à hauteur de leurs sièges de première classe. Quelle chance ! se dit finalement Alban en s'assoyant confortablement. De son hublot et alors que les moteurs du Boeing 747 d'Air France ne sont pas encore lancés, il peut apercevoir Iris prendre place dans son hélicoptère sur le tarmac, avec ses passagers déjà attachés à l'intérieur.

Quatre ans sans vacances, quand même, mais pour une première, tout était parfait se dit-il. Le Jumbo jet est alors repoussé sur le parking du terminal, et c'est dans un bruit sourd que les 4 réacteurs démarrent. Le gros porteur effectue son dernier virage sur le seuil et s'aligne sur la piste, pour finalement libérer la poussée de ses puissants moteurs. Rotation, puis les 300 tonnes de métal s'arrachent de la planète. Alban a le front posé sur le hublot. « Bye bye Polynésie ».

L'atterrissage à Los Angeles réveille brutalement le jeune couple, et l'inversion de poussée des réacteurs vient faire vibrer la structure tout entière. Le Boeing roulant maintenant au pas, Alban détache déjà sa ceinture et regarde Célia bâiller en s'étirant.

— Tu as bien dormi mon cœur ?

Célia lui répond dans un nouveau bâillement.

— Oui… On essaye de quitter l'aéroport pour manger en ville ?

— J'sais pas si on a le temps avant le changement, mais on va essayer.

Arrivés dans le hall de l'aéroport, Alban regarde les panneaux d'affichage puis semble calculer le temps qu'ils ont devant eux avant leur embarquement pour Montréal. Une escapade amoureuse dans Los Angeles le temps d'un repas serait une bonne transition, se disent-ils.

— On a trois heures devant nous avant l'embarquement. Et encore une heure avant le décollage… on tente le coup ?

— Oh que oui…

Ils marchent munis de leurs simples bagages à main vers la sortie où sont censés attendre les moyens de transport, quand un appel aux usagers vient résonner dans les haut-parleurs de l'aéroport.

« Les passagers Tremblay Célia et Tremblay Alban sont attendus au point information à l'entrée principale des arrivées ».

Il faudra que cette annonce soit aussitôt répétée pour qu'ils se regardent, les yeux écarquillés.

— Qu'est-ce que c'est cette histoire ? lance Alban.

— Je sais pas… Les bagages peut-être ?

— Bah… ce ne peut être que ça.

Alban marche inquiet vers le point information quand sa femme l'est tout autant, mais pour d'autres raisons « Fais chier… On ne va pas pouvoir sortir. »

Arrivés à quelques pas du kiosque, une hôtesse d'accueil les regarde s'approcher, puis Alban se présente à elle :

— Bonjour, je suis…

— Vous êtes M. Tremblay c'est bien ça ?

— Tout à fait.

— Je préviens M. Winkler pour vous.

C'est sur ces mots qu'elle échange un sourire avec Célia en guise de bonjour, puis décroche son téléphone pour appeler ce mystérieux M. Winkler. Célia regarde son mari avec un « tu le connais ? ». Alban prend le temps réfléchir, puis lui répond d'un petit signe de tête négatif, les lèvres pincées.

— M. Winkler sera là d'ici une minute.

— Mais… qui est M. Winkler ? Il y a un problème avec nos bagages ?

— Non non, ne vous inquiétez pas pour vos bagages, et M. Winkler est le directeur de l'aéroport.

L'hôtesse porte son attention sur l'écran d'ordinateur laissant le jeune couple dans l'incertitude, puis relève la tête au bout de quelques secondes.

— Le voilà.

Alban se retourne et aperçoit un homme imposant en costume sombre marchant dans leur direction. Celui-ci lui offre déjà sa main alors qu'il n'est encore qu'à quelques mètres. Il marche la main levée, et finit par trouver celle d'Alban qu'il empoigne vigoureusement.

— Bonjour M. Tremblay, je suis Grégory Winkler, directeur de l'aéroport LAX. Je suis mandaté par votre supérieur du centre spatial canadien. Pouvons-nous aller dans mon bureau ? Oh, votre épouse également bien sûr !

Alban, perplexe le suit maintenant en compagnie de sa femme. « Qu'est-ce que c'est que cette histoire ? » se répète-t-il en boucle. « Pourquoi le centre ne peut-il pas attendre que je sois à Montréal ? Qu'y va-t-il de si important que ça, au point de mettre les autorités américaines dans la partie ? »

Arrivés dans le couloir réservé au personnel, M. Winkler prend la parole sans se retourner :

— Je suis désolé de ne pas vous avoir récupéré directement à votre sortie d'avion, mais il y a eu un quiproquo avec votre numéro de vol. Nous vous attendions sur le vol d'Hawaiien Airlines dans une heure.

Une fois devant la porte de son bureau, il se retourne et s'adresse à Alban, embarrassé.

— Il serait peut-être préférable que madame attente dans notre salon privé.

Alban regarde Célia qui acquiesce immédiatement. Elle se dirige alors vers une porte à quelques pas de là, invitée par un assistant qui ressemble plus à un majordome qu'à un professionnel de l'aéronautique. À l'intérieur, un bar et des canapés luxueux lui rappellent le standing de leur hôtel, puis elle y disparaît après avoir échangé un dernier regard avec son mari. Une fois dans les appartements de M. Winkler, celui-ci invite Alban à s'asseoir puis fait de même derrière son bureau. Il décroche le téléphone et appuie sur une touche.

— Je dois vous mettre en contact avec votre directeur, M. Joss.

Après quelques secondes à attendre la tonalité de mise en ligne, M. Winkler répond à son interlocuteur :

— M. Joss ? Grégory Winkler, LAX, je vous passe M. Tremblay.

Alban prend le combiné.

— Allo Bertrand ?

— Bonjour Alban… Vous devez vous demander ce qu'il se passe, et bien que du bon, que du bon… Je suis désolé de ne vous avoir pas informé dès votre arrivée à l'aéroport de Tahiti, mais la nouvelle venait seulement de tomber. J'ai à peine eu le temps de vous surclasser, et… voilà, vous partez pour Arecibo, directement de Los Angeles.

— Le radiotélescope ?

— Absolument. Il y a des signaux très prometteurs. Soixante-douze exactement, et tous différents.

Alban est pétrifié sur place.

— Soixante-douze ?

— Absolument.

— Quelle provenance ?

— C'est là où ça devient vraiment intéressant… Soixante-douze provenances différentes. Ils viennent tous des quatre coins de notre galaxie, comme coordonnés entre eux. Le dernier signal reçu il y a une heure provient d'une étoile de la région d'Antares, envoyé en direction de notre planète il y a… plusieurs centaines d'années, enfin, vu sa localisation dans la galaxie, faites vous-même le calcul… Les autres signaux proviennent également de positions tout aussi éloignées.

Enfant, Alban était bègue. Il avait vaincu ce problème d'élocution à force de travail avec un orthophoniste, mais avait aussi eu des rechutes. Toutes sous l'effet d'un stress intense, comme lors de son mariage avec Célia. Ce stress qu'il sent monter en lui l'inquiète à reprendre la parole. Par prudence, il limite ses réponses par de simples mots.

— D'accord. Compris.

— Vous décollez pour Porto Rico. M. Winkler a tout prévu, quant à votre épouse Célia, elle pourra reprendre sa correspondance comme prévu pour Montréal.

— Bien.

— Ah oui, vous serez accompagné d'un homologue américain détaché de la NASA, le professeur Freddy Boda.

— Bien.

— Je vous recontacte une fois que vous serez sur place… et sinon, avez-vous bien profité de ces vacances au paradis ?

— Oui oui, bien…

— Bon… Allez, faites bon voyage Alban.

Le professeur Freddy Boda… rien que ça, se dit Alban. Il avait lu ses ouvrages et assisté à quelques-unes de ses conférences lorsqu'il préparait sa thèse. « Le pape » de l'astrophysique mondiale allait faire le voyage avec lui. Mieux, travailler et collaborer avec lui. Cela n'est pas pour diminuer son stress. L'idée d'échanger en personne avec cet homme, unanimement reconnu dans la profession comme étant le plus grand spécialiste de la question, provoque en lui de vraies décharges d'adrénaline. Il suit M. Winkler jusque dans le salon privatif, et le besoin lui vient très vite de prendre un verre d'alcool. Il rejoint Célia accoudée au bar, qui sirote son cocktail favori.

— Eh bien, les vacances ne sont pas terminées à ce que je vois !

Elle lui rend son sourire d'un air soulagé.

— Alors ? T'es si important que ça ? Qu'est-ce qui se passe ?

— Je pars pour Porto Rico, le radiotélescope…

— Quoi ?

M. Winkler passe derrière le bar en écoutant le jeune couple, et s'adressant à Alban.

— Vous prendrez bien un verre ?

— Eh bien… La même chose. Un « Colonel ».

— Moi aussi, pourquoi pas. Marvin vous nous servez ? Décapsuler les bières c'est bon pour moi, mais s'agissant de cocktail je laisse faire le professionnel.

Son assistant le remplace et commence à sortir les ingrédients nécessaires à la réalisation des boissons. M. Winkler vient s'asseoir à côté du jeune couple, regarde Alban en se grattant le crâne et se lance :

— Alors vous, vous êtes astrophysicien ?

— Oui, enfin j'essaye.

— Vous êtes d'une modestie déconcertante. C'est une fonction, enfin un statut, qui demande tant d'années d'études, de sacrifice sans doute… Je pense bien que ce n'est pas une profession qui court les rues… Mais de tous les astrophysiciens, vous êtes employé pour un centre spatial, alors jusque-là, rien d'anormal c'est vrai, mais… Vous devez quand même occuper une place conséquente, non ? Suffisamment pour que votre hiérarchie fasse appel à vous alors que vous êtes en escale dans le 2e plus gros aéroport des États-Unis, et ce avec l'appui de nos gouvernements respectifs… Le directeur de la NASA en personne a affrété un jet privé pour le professeur Boda et vous-même. C'est bien simple, une heure avant votre arrivée, mon téléphone a dû sonner une dizaine de fois. J'ai même eu le secrétaire d'État au bout du fil. J'étais avec lui lorsque Marvin m'annonçait que vous n'étiez pas sur le bon vol. Vous vous en rendez compte ? Le secrétaire d'État des États-Unis. Rien que ça !

Alban réfléchit en expirant lourdement, puis répond.

— Je vais être tout à fait honnête avec vous : je n'ai pas tous les tenants de ce qui se passe, mais je dispose de suffisamment d'informations, après ma discussion avec le professeur Joss, et ce que j'ai entendu me bouleverse bien plus que cette logistique qui s'est mise en place autour de cette affaire. Vous voulez savoir si ce que je viens d'apprendre mérite que le secrétaire d'État des États-Unis s'y intéresse ? C'est ça ? La réponse est oui. Sans aucun doute. Votre président en personne viendrait lui-même me servir mon cocktail que cela m'impressionnerait moins que ce que je viens d'entendre de la bouche de Bertrand Joss tout à l'heure. Voilà.

M. Winkler tourne la tête vers Marvin. Celui-ci approche maintenant les cocktails devant les deux hommes sous le regard égaré de Célia. M. Winkler prend le sien, aussitôt suivi par Alban. Il le regarde droit dans les yeux :

— C'est si grave que ça ?

— Non, mais c'est une information qui si elle était confirmée, serait mille fois plus importante que la découverte de notre continent par Christophe Colomb.

— Qu'avons-nous découvert ?

— Eh bien… J'imagine que je suis tenu au secret désormais. Par le secret défense même. Ne venez-vous pas de me dire que le secrétaire d'État des États-Unis était dans la partie ? Nul doute que votre président lui-même, ainsi que le mien, et… probablement que la majorité des chefs d'État du monde entier le sont aussi. Je suis tenu au secret.

Il se retourne vers sa femme :

— C'est valable pour toi aussi.

La tension est palpable dans le petit salon. Sa femme n'en revient pas. Elle ne le reconnaît pas, comme si une distance inexpliquée venait de s'installer.

M. Winkler, lui-même, n'est plus le directeur d'un grand aéroport américain, mais un simple citoyen curieux et inquiet. Son costume sur mesure semble bien grand devant Alban, pourtant vêtu de façon décontractée, en mode « retour de vacances ». Petit gringalet au visage bronzé comme n'importe quel vacancier qui ne se soucierait pas de son apparence physique. Rien à voir pourtant avec l'homme public qu'est M. Winkler.

— Je suis tenu au secret mais je peux vous mettre sur la voie. Je ne peux pas garder ça pour moi. C'est tellement…

Célia expire lentement, la bouche ronde. M. Winkler retient sa respiration.

— Après vous avoir dit que cette information était mille fois plus importante que la découverte de l'Amérique par Christophe Colomb, votre question était : qu'avons-nous découvert ? C'est bien ça ?

M. Winkler se lance :

— Oui ?

— Eh bien nous n'avons rien découvert du tout. Alban inspire profondément :

— Il semblerait en revanche que la Terre vienne d'être découverte par un Christophe Colomb galactique…

C'est en sortant du salon que Célia se met à pleurer. Son émotion ne passe pas inaperçue dans le couloir les ramenant jusqu'au terminal, et elle le traverse maintenant sous le regard des autres passagers. Alban lui tient la main et la serre contre elle de temps en temps, puis arrivés dans l'espace d'attente de la porte d'embarquement 001, il la prend dans ses bras. L'espace 001 est celui dédié aux vols privés, la plupart en petits jets. M. Winkler les rejoint maintenant, puis s'adressant à Alban :

— Le professeur Boda vient d'atterrir, il sera là d'une minute à l'autre.

Après cette annonce, Alban semble réfléchir. Il se dirige vers la grande baie vitrée avec sa femme, puis se retourne vers M. Winkler :

— Et d'où arrive-t-il ?

— De Houston.

— Alors il fait un détour pour venir ici ?

— Eh bien… oui, probablement.

— Il ne vient que pour me rejoindre ?

— Ça, je n'ai pas l'information. Vous le lui demanderez. Maintenant, je pense que oui. C'est effectivement probable qu'il ait fait le détour pour vous. Quand je vous dis que vous êtes d'une modestie déconcertante… Vous ne vous rendez sans doute pas compte de votre vraie valeur. Puis-je me permettre en attendant qu'il arrive de vous raconter une petite histoire ?

Alban regarde sa femme puis se retourne vers M. Winkler.

— Volontiers…

— À moins que vous ne préfériez passer ces instants d'attente avec votre femme…

— Ne vous inquiétez pas, allez-y.

— Cela peut l'intéresser, elle aussi.

Célia se rapproche des deux hommes tandis que M. Winkler les invite à s'asseoir sur la banquette. Il reste debout, attendant qu'un avion qui vient de mettre la poussée de ses réacteurs décolle. Une ambiance sonore acceptable revenue, du moins pour un aéroport, il regarde Alban puis Célia sur laquelle son regard s'attarde.

— Vous êtes inquiète ma pauvre petite ? Je pense que vous ne devriez pas.

Il s'assoit à son tour sur une banquette, leur faisant face, puis prend la parole en joignant les mains :

— J'ai cinquante-neuf ans. J'ai eu ma première licence de pilote à dix-neuf ans, c'était en 1946. Juste après la guerre. J'ai fini ma carrière comme pilote de ligne sur Boeing 757. Mais auparavant j'ai été pilote de chasse dans l'US air force sur une période de dix-neuf ans. En 1965, j'étais affecté sur la base de Ramstein en Allemagne, et alors que je volais de nuit avec mon F4 Phantom au-dessus de la forêt noire et à très haute altitude, eh bien…

M. Winkler se reprend et s'adresse directement à Alban :

— Nous parlons bien de vie extra-terrestre… enfin, votre allusion de tout à l'heure ? Du moins la possibilité qu'ils existent ?

Alban acquiesce d'un petit hochement de tête.

— Eh bien… J'étais dans mon chasseur bombardier F4, nous étions deux à bord. Mon navigateur se trouvait en place arrière. Je vous dis ça avant d'aller plus loin, car il a observé la même chose que moi. Un genre de… cigare, enfin, un ovale aplati que nous avons estimé de la taille d'un terrain de football est apparu sur notre travers droit, à la même altitude. Nous avons d'abord cru à un avion de ligne, mais à bien le regarder, nous avons éliminé cette hypothèse en quelques secondes. C'est alors qu'il a accéléré. Une accélération foudroyante, nous laissant sur place. Le phénomène se reproduisit quelques minutes plus tard, mais cette fois-ci dans nos une heure. Une lumière se dégageait par ce que j'appelle des hublots, au nombre de cinq et de chaque côté. Une lumière blanche éclatante, comme divine… L'objet s'est alors mis lentement dans nos midis, comme pour bien se montrer à nous, puis s'est élevé petit à petit pour encore une fois accélérer à une vitesse que l'on peut qualifier de… enfin, inhumaine. Ce que je veux dire, c'est que nous ne possédons pas la technologie nécessaire pour fabriquer un engin comme ça, de plus l'accélération nous tuerait. Nous étions dans un état de stress intense, oui, mais après coup, nous avons réalisé que jamais nous n'avions été en danger. Nous avons pris ça comme une démonstration de force, et pas forcément comme une mise en garde. Un genre d'exhibition, de « meeting aérien », rien que pour nous. Je n'ai jamais parlé de ça à personne. Vous êtes les premiers. Ce que je veux vous dire, c'est « n'ayez pas peur ».

Voilà un moment maintenant qu'Alban et Célia sont devant la baie vitrée, leurs regards perdus au loin. Ils se tiennent par la main.

— Tu vas encore voyager en première classe. Je pense même que tu vas être aux petits soins, veinarde.

Célia sourit, inutile qu'elle réponde à haute voix. Alban a compris sa pensée « Je préférerais mille fois être dans le centre-ville de Los Angeles avec toi, à manger un vrai hot-dog, à parler de nos vacances passées et envisager les futures ».

Après un long et tendre sourire complice, ils aperçoivent le professeur Boda marchant vers eux.

— Madame, monsieur Tremblay bonjour, Freddy Boda, enchanté.

Il tend une main ferme qu'Alban n'hésite pas à serrer puis reprend :

— Eh bien, ce trajet jusqu'à Porto Rico nous laissera le temps de faire connaissance. Je vous laisse avec votre épouse. Notre avion est prêt, je vous y attends à l'intérieur. Alban et Célia se regardent. C'est le moment, difficile pour elle. Pour lui aussi, mais il se sent comme soulagé, car si près de la finalité du travail qu'il a fourni toutes ces années.

Il rompt le silence le premier :

— Je ne vais pas vivre à Porto Rico hein, j'aime trop les lacs et les étendues canadiennes… Je reviens vite et en attendant, fais une peinture.

— Sur quoi ?

— Ce que tu veux. Laisse parler tes émotions, je crois que tu as ta dose. On fera ton vernissage tous les deux à la maison, en petit comité.

Ils s'embrassent maintenant dans une étreinte interminable, passionnés. Alban s'éloigne d'elle progressivement, puis finit par lâcher ses doigts. Il marche à reculons, puis se retourne sur un ultime baiser de la paume de la main. Il s'engage sur l'escalator menant au tarmac et disparaît.

Après des présentations et des congratulations mutuelles, c'est avec un Las Vegas visible des hublots de gauche, et comme toujours démesurément illuminé que les confrères entrent dans le vif du sujet, et comme pour donner le ton, le professeur Boda se lance :

— J'ai travaillé sur le signal « wow ! » du 15 août 1977, et la désinformation de notre gouvernement à son sujet a très bien fonctionné. Je suis sûr que même vous prenez ce signal comme une erreur instrumentale.

Le signal « Wow ! » en provenance d'une lointaine étoile en 1977 avait été nommé ainsi à cause de l'annotation au crayon de son découvreur sur la bande papier d'enregistrement. Le scientifique avait été stupéfié de voir à quel point ce signal pouvait correspondre à ce que le projet de recherche de vie extra-terrestre attendait. Le signal « Wow » avait mis le monde scientifique en émoi, jusqu'à ce qu'un communiqué officiel affirme qu'il s'agissait en fait d'un parasite.

Alban répond confus :

— Eh bien oui, c'était une erreur instrumentale… Enfin c'est officiel, j'ai même personnellement vu les données…

— Non, ce n'était ni un parasite ni une erreur instrumentale. La singularité de ce signal, et le fait qu'il représente une référence pour nous, eh bien… C'est sa fréquence. Dix kilohertz. En effet, comme vous le savez, aucun phénomène naturel n'émet sur un spectre aussi étroit. Ce ne pouvait être qu'intelligent.

— Dix kilohertz ? Mais ce ne sont pas les chiffres annoncés ! Vous êtes en train de me dire que le véritable compte rendu a été tenu secret ?

— Je viens de vous le dire : la désinformation a fonctionné jusque dans notre propre communauté, avec l'aide bien sûr de quelques-uns d'entre nous, dont moi.

Alban pensait être au bout de ses émotions ce soir. Seulement voilà, il est maintenant question de révélation. L'homme de science qu'il est se doit de rester calme, enfin, pragmatique et professionnel, ne s'excitant de rien, de surcroît dans son domaine, mais là... Le professeur Boda vient de lui révéler un secret d'État. L'idée lui effleure l'esprit de lui poser la question pour le crash de Roswell, et cela doit se voir sur son visage car le professeur Boda reprend immédiatement la parole :

— Quant au sujet des hypothétiques contacts que l'humanité aurait pu avoir d'une façon ou d'une autre avec une entité extra-terrestre, cela demeure un secret. ... comme ceux qui auraient eu lieu par exemple à la suite d'un crash. Je veux dire, si un contact de cette nature a bien eu lieu, c'est un secret même pour moi. Tout ce que je peux vous dire, c'est qu'à ce sujet, il y a bien plus de balivernes qui ont été racontées que de vérités.

— Vous pouvez donc poser une limite entre baliverne et vérité ? Si c'est le cas, c'est que vous en savez bien plus que vous ne le laissez croire.

Le professeur Boda sourit :

— Cela ne nous aidera pas. Vous devez comprendre que ce qui se passe aujourd'hui est bien plus important et en tous points, de ce que nous avons observé, calculé et interprété jusqu'ici. Et cette fois-ci, vous êtes dans le match. Ce qui se passe aujourd'hui me dépasse. Comme vous.

— Que se passe-t-il aujourd'hui ?

— Que vous a-t-on dit ?

— Bertrand Joss m'a parlé de 72 signaux, tous de provenances différentes. Le dernier venait d'une étoile proche d'Antares.

— Alors vous en savez autant que moi. Nous pouvons pour la durée de vol restante essayer d'envisager les hypothèses. Ni plus ni moins. En ce qui me concerne, je n'ai rien d'autre à vous apprendre. En attendant, trinquons à cette nouvelle !

Un signe de main, et l'unique hôtesse s'approche des deux hommes assis face à face sur de grands fauteuils en cuir, et leur propose une collation. Le professeur Boda se lance sur un « Champagne ! » alors qu'Alban qui sent encore les effets du « Colonel » s'adresse à lui en souriant :

— Il se trouve que j'ai déjà accusé le coup à l'aéroport avec M. Winkler… Alors ce sera un café pour moi.

— Sage décision ! pour moi ce sera Champagne mademoiselle. Le professeur Boda se retourne vers Alban :

— Vous aimez l'avion ?

— Oui beaucoup. Je suis pilote en fait. Enfin, je suis pilote amateur. Mon père l'est aussi, c'est lui qui m'a donné le goût de l'aéronautique. Il possède des avions anciens, des biplans pour la plupart, et je volais avec lui avant même de savoir marcher.

— Dans ce cas, cela vous fera sûrement plaisir de visiter le poste de pilotage de ce petit jet ?

— Le trajet sera long, alors pourquoi pas ?

Les deux hommes se lèvent puis rejoignent l'avant de l'appareil le dos courbé. La porte du poste de pilotage est entrouverte, et le commandant de bord Larry Marechal les accueille en souriant :

— On vient profiter de la vue ?

Alban aperçoit alors une escorte de deux chasseurs F16 de chaque côté, et en avant du petit Lear jet privé. Décidément, je vais finir par croire M. Winkler sur l'importance que je représente se dit-il. C'est en pensant à ce dernier et en voyant les deux avions de chasse qu'il se remémore son histoire lorsqu'il était en vol au-dessus de la forêt noire. Ne pas en avoir peur, oui. Mais de toute façon, la question ne se pose pas. Il ne s'agit que de signaux.

— Ah vous êtes pilote ?

Le professeur Boda avait laissé Alban à ses songes et entamé une discussion avec le commandant de bord. Pour un passionné d'aviation comme Larry Marechal, discuter aéronautique avec un autre pilote alors même qu'il est aux commandes ne lui pose pas de problème, bien au contraire. Alban se reprend et répond :

— Oui, enfin privé, et ma licence est expirée depuis fort longtemps...

— Asseyez-vous à ma droite alors, ça va revenir.

Alban s'assoit en place copilote, et le professeur Boda prend congé sur ces mots :

— Messieurs, deux pilotes dans cet avion, me voilà pleinement en confiance. Je vais sereinement boire ma coupe de Champagne.

Il se tourne vers Alban :

— Nous reprendrons notre discussion tout à l'heure. Je vais réfléchir de mon côté. Amusez-vous bien.

Alban n'écoute qu'à moitié les commentaires de Larry. L'avion est en croisière de toute façon. Un palier et une vitesse établie, le travail du pilote ne se résume qu'à surveiller les paramètres et tenir le cap. Harry comprend qu'Alban ne tient pas à échanger plus que ça, et il le laisse profiter du siège de capitaine sans plus de paroles. Le jeune homme fixe maintenant le chasseur à sa gauche. « Ce matin encore, j'étais à Bora Bora. » Les choses se sont enchaînées à une vitesse folle. Incroyable scénario du reste. Toutes ces nouvelles, arrivées les unes après les autres, se mettent en place petit à petit dans son esprit. Depuis le début de cette histoire, c'est la première fois qu'il les met bout à bout pour tenter de les analyser. Quelque chose cloche se dit-il. Il ne saurait dire quoi, mais c'est son ressenti. Le professeur Boda lui avait-il tout dit ? Ou devait-il s'attendre à un nouveau revirement, quelque chose qui vienne enflammer cette situation déjà brûlante ? Il y a quelque chose qui cloche. Ces signaux s'ils existent ne peuvent être uniquement interprétés comme simple salut amical et fraternel. Ce sont les prémices de quelque chose de plus grand, bien qu'amical oui, ça il ne veut pas en douter, mais soixante-douze provenances différentes peuvent-elles être le fruit du hasard ? Rien que dans ce bombardement d'ondes radio toutes dirigées vers la terre, il y a sans doute un message clair. « Oui, c'est à vous que nous nous adressons ».

Il ferme ses yeux lentement, sans pouvoir s'en empêcher.

Alban tourne la tête vers Larry dès que celui-ci débute son message au contrôleur.

« November 678 bravo hôtel, on arrive vertical Orlando, niveau 290, 330 nœuds ». Larry lui sourit :

— Bien dormi ?

— Oh, je ne dormais pas vraiment. Si ?

— Vous étiez ailleurs pourtant.

— Pas bien loin, rassurez-vous. En revanche, j'étais à Bora Bora ce matin ! Alban regarde le chasseur sur sa gauche.

— Tiens, des Tomcat ? C'était pas des F16 tout à l'heure ?

— Vous voyez que vous avez dormi ! La Navy a pris le relais il y a vingt minutes. On atterrit à San Juan d'ici une petite heure.

Alban se lève en se contorsionnant dans le petit poste de pilotage puis se dirige vers l'arrière de l'appareil.

— Merci pour tout.

— Y'a pas de quoi.

Le professeur Boda dort profondément sur son siège. Alban reprend sa place sans un bruit, puis descend le dossier. « Dormir encore, tant que je le peux… Cela étant, je pense que le temps risque de nous manquer ».

***

Houston, USA, centre opérationnel de la NASA, 24 heures plus tôt

— On me le confirme professeur, 3 nouveaux cas qui corroborent notre affaire.

— On en est sûr ?

— Oui professeur.

Il accompagne sa dernière affirmation en tendant un télex au professeur Boda que celui-ci attrape la main tremblante. Il s'assoit, en prend connaissance attentivement, puis lève les yeux au ciel en reposant le document sur la table.

— Pouvez-vous appeler le centre spatial Canadien ? J'aimerais m'entretenir avec le professeur Joss.

— Bien sûr monsieur, je fais ça immédiatement.

Le professeur Boda sort maintenant de la salle de conférence et se dirige dans le hall. Il introduit une pièce dans la machine à café et s'appuie sur elle d'un bras. « Putain… c'est complètement dingue cette histoire… »

Cela fait 35 ans que cet astrophysicien exerce un métier qui ne compte qu'une poignée d'homme sur la planète, alors il est normal que l'extrême spécificité de sa fonction lui ait apporté quelques stupéfactions durant toutes ces années, certaines même très bluffantes, mais là, il ne sait que penser. Il est déconcerté par cet enchaînement et se résout finalement à demander de l'aide à ses homologues étrangers malgré la confidentialité particulière de l'affaire.

— Monsieur, je suis en ligne avec le professeur Joss du centre spatial canadien.

Le professeur Boda boit son café d'une traite et lève son bras libre en guise de réponse, puis jette le gobelet dans la poubelle et accoure dans le bureau. Il attrape le combiné.

— Allo Bertrand ?

— Oui, Bertrand Joss à l'appareil, bonjour Freddy… Vous avez les mêmes nouvelles que moi je suppose ?

— Oui, 3 nouveaux cas… 1 homme au Chili miraculeusement réanimé après une méningite, 1 autre en Jordanie suite une fusillade et une femme en Australie dans un accident de voiture, et apparemment elle est connue, enfin, célèbre, je crois que c'est une présentatrice vedette dans son pays.

— Exactement, et ça s'est passé il y a quelques semaines aussi. Comme les autres, ce qui porte leur nombre à 68 désormais, comme les signaux.

— Nous sommes donc sûrs de ça ? Je veux dire, les signaux reçus par les radiotélescopes ont réellement un lien direct avec tous ces anonymes qui sont revenus de la mort ?

— Oui, je dirais même que c'est un grand et définitif oui. Par exemple, le vingt et unième cas, vous vous souvenez de cet homme électrocuté en Allemagne et qui est revenu à la vie après un acharnement de réanimation ? Eh bien ce cas est étroitement lié au vingt et unième signal, celui en provenance de l'étoile Epsilon et envoyé en direction de notre planète il y a plusieurs siècles. C'est maintenant une certitude. Il y a aussi des dizaines d'autres cas sur les soixante-huit qui ne laissent plus aucun doute sur leurs liens propres avec les autres signaux, alors voilà, c'est incroyable mais c'est ainsi. Chaque signal avec sa propre provenance dans notre galaxie semble être lié à un miraculé, enfin appelez-les comme vous voulez... Comme si quelque chose dans l'univers avait un lien direct avec ces personnes ayant exploré la mort, avant d'en revenir comme par miracle.

— Bon... Je vais personnellement me rendre à Porto Rico pour superviser les opérations sur place, car... d'autres signaux continuent d'arriver apparemment, et... j'avais pensé à votre petit jeune pour m'accompagner, le docteur Tremblay.

— Alban ? Pourquoi pas, mais là, il n'est pas disponible, il est en vacances.

— Alors, faites-le revenir sur le champ.

— Ce ne sera pas nécessaire, il est prévu qu'il rentre demain par avion avec sa femme, alors cela peut attendre vingt-quatre heures peut-être ?

— Oui bien sûr, mais où sont-ils en vacances ?

— Ils sont à Bora Bora, en Polynésie française.

— Dans ce cas, ils vont faire escale demain à Los Angeles pour leur correspondance, alors je le retrouverai là-bas et nous partirons tous les deux en avion privé. J'arrange tout, et de votre côté mettez-le au courant, mais attention, pour l'instant ne lui dites rien concernant les miraculés, je veux qu'il ait les idées claires et qu'il se cantonne uniquement à son domaine, je veux qu'il reste astrophysicien vous m'avez compris ?

— Oui, très bien. Je préviens Alban, enfin, le docteur Tremblay, et je vous laisse le soin de le mettre au parfum pour le reste.

— Je ne lui dirai rien, moi non plus.

***

13 septembre 1986, coucher du soleil. C'est encore à l'atterrissage et en sursaut qu'Alban se réveille, et cette fois-ci Célia n'est pas là. Pendant une seconde pourtant, il la cherche du regard en se demandant s'ils viennent d'atterrir à Los Angeles. « Alors tout ça est bien vrai… » Le professeur Boda s'est réveillé de la même façon, une bouteille de Champagne quasiment vide se trouve coincée entre son siège et la structure, comme cachée pour que l'hôtesse ne la lui reprenne pas. Alban avait récupéré sa trousse de toilette ainsi que quelques vêtements à l'aéroport de Los Angeles, ce qui avait causé des problèmes aux bagagistes qui avaient déjà fait transiter leurs bagages pour la correspondance. Il empoigne son petit sac au moment où l'avion se gare sur le parking privé de l'aéroport de San Juan, à Porto Rico. Pas d'attente interminable pour en sortir comme pour un long courrier standard, et c'est sur l'escalier qui descend sur le tarmac, le professeur Boda en tête, qu'ils aperçoivent une dizaine de personnes. Un homme se détache du petit comité d'accueil puis s'approche d'eux avec une main tendue et un sourire.

— Je suis le docteur Alex De Sousa, directeur du centre d'Arecibo. Un hélicoptère nous attend pour nous y emmener. Une fois sur place, vous serez conduits dans vos appartements respectifs.

Alban savait que le décalage horaire du retour serait brutal, mais de là à se retrouver dans un autre fuseau que celui de Montréal, il ne l'avait pas imaginé. La démarche lourde et les traits tirés, il suit pourtant le mouvement. Le petit groupe se dirige maintenant vers un hélicoptère de l'US Army stationné un peu plus loin. Le vol dans un Bell 205 aux portes latérales ouvertes leur permet d'admirer la côte nord de l'île. Un vol de vingt minutes, plaisant, en plein air et qui contraste avec celui qu'ils viennent de faire dans le luxueux jet, du fait du sentiment de liberté qu'il procure. Arrivés à la verticale du centre, ils aperçoivent le puissant radiotélescope de trois cents mètres de long et aux trente-neuf mille panneaux d'aluminium. « C'est donc toi qui nous fais avoir des palpitations. » L'hélicoptère se pose sur sa DZ et les trois scientifiques accompagnés de quelques militaires du corps des Marines se dirigent maintenant vers les voitures qui les attendent. Le docteur De Sousa prend alors la parole :

— Bon… Commençons par vous installer, et ensuite nous nous rendrons au centre de commande. Pour faire court, il y a un soixante-treizième signal, capté il y a un peu plus de quatre heures. Celui-ci provient des environs de la nébuleuse d'Orion, envoyé dans notre direction il y a environ mille trois cents ans… Le même signal que les autres, avec une toute petite différence quand même. Comme les autres. Chaque signal est différent, bien qu'ils soient tous analogues. Une chose change, à chaque fois. Leurs temps d'émission. Ils perdent exactement une seconde à chaque fois.

Le professeur Boda et Alban se regardent, perplexes. « Oui, cette fois plus de doute ». Alban se lance le premier :

— Dites-m'en plus.

— Eh bien, le premier signal durait soixante-treize secondes. Le deuxième soixante-douze, le troisième soixante et onze, et ainsi de suite. À vrai dire, nous nous attendions à ce soixante-treizième signal d'une seconde. Ce devrait logiquement être le dernier.

— Le dernier ou le début d'une autre séquence ? répond maintenant le professeur Boda avec cette question.

Tout le monde comprend dans ces mots « compte à rebours terminé et début d'autre chose ».

— Le début d'une autre séquence dites-vous ? Eh bien, c'est précisément pour répondre à cette question que vous êtes là. Tous les deux. Qu'en pensez-vous ? Je veux dire, comme ça à chaud ?

Alban et le professeur Boda ne répondent pas immédiatement. Ils semblent accuser le coup avec l'annonce de ce nouveau signal. Alban parle en premier :

— Y'a-t-il quelque chose de cohérent avec leurs provenances ? Je veux dire, d'où les signaux ont été émis ? Leurs situations, les distances entre les étoiles émettrices, par rapport à nous aussi ? Y'a-t-il quelque chose d'exploitable sur ce point ?

— Nous avons creusé cette piste, mais apparemment non. Cela semble aléatoire et anarchique.

Le cortège de 4x4 arrive maintenant devant le bâtiment, et tous en sortent accompagnés par les marines chargés de la sécurité. Alban y est venu autrefois, au tout début de sa carrière. Il y avait passé trois semaines. Dans ses souvenirs, les chambres d'hôtes étaient spartiates mais tout confort, et l'idée de prendre une douche le ravit maintenant, lui faisant même oublier la raison de sa présence ici l'espace d'un instant. Il suit un homme en tenue de camouflage jusqu'au premier étage qui lui ouvre la porte de sa chambre. Alban regarde le téléphone sur la table de nuit près de son lit, et il pense à Célia. « Elle doit être morte d'inquiétude », se dit-il. Il se dirige avec son petit bagage dans la salle de bain, puis soupire longuement de satisfaction lorsqu'il sent tout à coup l'eau devenir chaude. Une fois douché et détendu, il s'allonge sur le lit puis regarde à nouveau le téléphone. C'est en le fixant que celui-ci se met à sonner, le faisant sursauter. « Vous êtes prêt Alban ? Nous vous attendons en bas ».

Alban descend les marches du bâtiment et aperçoit l'équipe sur le perron :

— Prêt ?

C'est avec un signe de tête qu'il leur emboîte le pas. Ils entrent maintenant dans le deuxième bâtiment, puis prennent l'ascenseur qui les conduit jusqu'à la salle de commande, au 1er sous-sol. Les portes s'ouvrent, ils sont immédiatement accueillis par d'autres homologues. Le docteur De Sousa fait de succinctes présentations, et s'attarde sur un homme d'une trentaine d'années, de taille moyenne, le crâne dégarni :

— Adriano Del Piero, du centre spatial européen.

Des poignées de main entre les hommes, puis Alban reprend.

— Del Piero l'astrobiologiste ?

— C'est exact. J'étais ici pour mes travaux lorsque le premier signal nous est parvenu.

Le professeur Boda et Alban s'interrogeaient sur l'intérêt que pouvait représenter un astrobiologiste dans cette histoire. Alban reprend.

— Alors ? Votre ressenti ?

— Comme vous. Mais je l'ai vu de mes yeux et entendu de mes oreilles.

Y compris le dernier signal.

Il lâche ces mots d'un air supérieur déconcertant, qui colle avec les traits fatigués de son visage. Il n'a pas dû beaucoup dormir, cela explique son humeur se dit Alban. Tous entrent maintenant dans la grande salle de commande remplie d'écrans, avec un opérateur derrière chacun d'eux, puis le docteur De Sousa les invite à regarder les relevés de chaque signal. Sur une table, des feuilles de papier sont étalées, et chacune d'elle porte un numéro. Des annotations de fréquences et d'ondulations, toutes identiques, et pour finir, leurs temps d'émission respectifs en rouge. Un homme en blouse blanche arrive avec la dernière feuille portant l'annotation « 1 seconde ». Le soixante-treizième et hypothétique dernier signal.

L'ingénieur prend la parole :

— Identique aux autres et en tous points. Temps d'émission dégressif. Alban s'adresse alors à lui :

— La provenance du dernier signal déjà ? La nébuleuse d'Orion ?

— C'est bien ça. Envoyé dans notre direction il y a plusieurs centaines d'années.

— Il me faudrait une carte de la Voie lactée, une vue d'ensemble de la galaxie avec toutes les provenances.

L'audience l'écoute avec attention. Ils commencent à comprendre qu'Alban prend personnellement les choses en main, sous le regard du professeur Boda. L'homme à la blouse blanche revient maintenant avec une grande carte, couvrant la totalité de la galaxie. Un simple regard de sa part suffit à faire s'éloigner le groupe de scientifiques afin de lui laisser la place nécessaire pour la déplier. Tous la considèrent, mais pas comme Alban, tous l'observent alors. Il en fait le tour songeur, puis lève la tête :

— Rien ne me saute aux yeux. Cela semble être effectivement une fausse piste.

Les membres du groupe étaient suspendus à ses moindres faits et gestes, ses paroles. Ils reprennent alors une respiration normale avec un « Tout ça pour ça ? » flottant dans l'air. Alban peut percevoir la déception dans l'attitude de ses confrères, et à cet instant précis, il comprend que sa présence a une importance à leurs yeux. Ce sont eux qui ont dû le faire venir, ou alors le professeur Boda a insisté pour qu'il soit dans l'équipe avec des mots du genre « il est l'homme de la situation ». Il lui semble encore une fois que quelque chose cloche, qu'il manque un maillon. Le professeur Boda ne lui aurait pas tout dit. C'est avec ces pensées qu'il reprend une posture de réflexion, donnant l'impression de réfléchir aux questions que tout le monde se pose ici.

Le docteur De Sousa regarde sa montre, puis la grande horloge à quartz rouge en hauteur. Il semble maintenant s'intéresser aux multiples écrans, chacun d'eux occupé par un opérateur. Il marche le long, et prend le temps de bien regarder les données puis prend la parole :

— Le soixante-treizième signal était vraisemblablement le dernier. Normalement et depuis le début, il ne se passait jamais plus de 4 heures entre chaque. Il ne nous reste qu'à interpréter les données désormais. Je vous propose maintenant que nous allions tous nous reposer. La nuit porte conseil, et il est déjà très tard.

Tous se regardent et semblent être d'accord avec cette proposition, puis le docteur De Sousa reprend :

— Une équipe de nuit nous informera de toute façon s'il y avait un quelconque élément nouveau. Rendez-vous demain matin à 7 h 30 au réfectoire pour le petit déjeuner.

Les scientifiques sortent maintenant par petits groupes de la salle de commande, et Alban marche auprès du professeur Boda.

— Que cherchiez-vous à comprendre avec ces provenances ? Vous imaginez bien que toutes les hypothèses ont été envisagées, depuis le début. Seraient-ils passés à côté de quelque chose selon vous ?

— C'est précisément l'impression que j'ai donnée, oui. J'ai bien vu leur attitude. Ils me prennent pour un petit con d'arriviste, ou un idiot qui s'attendait à ce que les provenances sur la carte forment une figure géométrique une fois reliées entre elles.

— Non, non. Vous êtes dur avec vous-même. Ces hommes sont là depuis plus de trois jours pour la plupart, c'est-à-dire depuis le début. Ils sont fatigués. Ils nous ont vus arriver comme ceux qui allaient débloquer la situation, démêler les nœuds. Tout au moins, apporter des éléments nouveaux.

— Que faisons-nous là alors ?

— Apporter de la fraîcheur et un potentiel disponible de matière grise. Prendre le relais des initiatives. Envisager chaque chose posément, comme ils l'ont fait depuis le début. Nous reposer toutes ces questions qu'ils se sont posées, sans arriver à y répondre. Ne soyons pas là uniquement pour constater, ils ne font que ça depuis le début. Maintenant, que cherchiez-vous à comprendre avec ces provenances qu'ils n'aient pas déjà imaginé ? Vous pensez bien que cette question est capitale, et qu'ils l'ont tournée dans tous les sens.

— Eh bien, une provenance différente par signal doit forcément avoir une signification autre que la certitude qu'ils veulent que nous ayons qu'ils sont beaucoup plus évolués que nous.

— Oui, « ils » le sont, et « ils » nous le montrent clairement. Mais quoi d'autre ?

Alban et le professeur Boda arrivent maintenant devant le bâtiment de la zone Vie, et se saluent d'une main levée sur un « bonne nuit ». Leur marche lente les a fait arriver en dernier, et c'est sans un bruit qu'Alban ouvre la porte de sa chambre. Il hésite, puis se met en caleçon. « Je ne vais pas commencer à dormir tout habillé dès le premier jour ». La chaleur caribéenne est étouffante, il ouvre la fenêtre, et il repense à son luxueux appartement de Bora Bora. Pas de climatisation ici, ni sa femme dans son lit. Célia, il pense à elle maintenant, avec ce double sentiment de culpabilité. L'avoir laissée rentrer seule d'une part, et aussi penser à elle alors qu'il devrait monopoliser toute son énergie aux signaux. Il ne peut plus s'empêcher de penser à elle, et se laisse aller à rêver. Son retour à ses côtés. Il regarde le téléphone éclairé par la lueur d'une lune presque pleine. Il somnole maintenant, après avoir une nouvelle fois renoncé à appeler Célia.

Le soleil le réveille. La fenêtre est restée ouverte toute la nuit. Il attend dans son lit en se cachant progressivement sous l'unique drap bombardé par les rayons chauds. Lorsque ceux-ci ne deviennent plus supportables, il se lève puis tire le grand rideau, laissant un petit espace de façon à pouvoir regarder à l'extérieur. Il ne semble y avoir aucun signe de vie. Il regarde sa montre qu'il avait pris soin de mettre à l'heure locale dès son arrivée à l'aéroport de San Juan : 7 h 12. Il prend la direction de la salle de bain, ôte son caleçon pour entrer dans la douche. Il laisse couler l'eau et se présente sous le pommeau lorsque la température de celle-ci commence à devenir acceptable. Peu importe l'endroit où il se trouve, et peu importe le climat, Alban prend de chaudes et longues douches. Il réfléchit, appuyé contre le carrelage, les jets à pression maximale directement sur le haut du crâne empêchent toute possibilité d'entendre ce qui se passe tout autour de lui. C'est sa façon à lui de bien commencer une journée, de la finir, et parfois même, de la meubler. Il lui arrive parfois de prendre quatre douches par jour, toujours dans cet état d'esprit. La réflexion lui est plus facile.

« Il faut que je creuse la piste des provenances afin de trouver leur secret, s'il y en a un ». Il se le répète en boucle, persuadé qu'un message clair y est relié. Il imagine pourtant bien que l'équipe en place depuis le début avait retourné cette question dans tous les sens, comme le lui avait d'ailleurs fait remarquer le professeur Boda. C'est avec cette question omniprésente dans son esprit qu'il décide de sortir de la douche dans un nuage de vapeur. La serviette sur la taille en guise de sous-vêtements, il se rend vers le téléphone sur la table de nuit. Celui-ci aurait sonné qu'il ne l'aurait pas entendu. Quelqu'un frappe à la porte. « M. Tremblay ? L'équipe se réunira au réfectoire pour le petit déjeuner à 7 h 30 ». Alban regarde sa montre et se hâte pour être en condition. Il se brosse les dents tout en s'habillant. Les vêtements dont il dispose sont ceux qu'il a jugés les moins « ringards » lorsqu'il avait dû se confectionner une petite valise à l'aéroport de Los Angeles. Pas de costumes, ni même de pantalons sombres pour accompagner ses trois tee-shirts, dont le moins criard porte l'inscription sérigraphiée « High School University of Cambridge ». Rien en lui ne laisse paraître le brillant astrophysicien que tout le monde devait attendre impatiemment, et sa sortie d'hier avec la carte des provenances n'était pas pour apaiser son sentiment d'être de trop dans ce groupe soudé. Il arrive sur le perron et aperçoit une bonne partie de l'équipe déjà présente qui attend les retardataires. Vêtus de tenues effectivement plus en adéquation avec leur fonction, il se sent ridicule, mais tous sans exception le regardent et le saluent dans un bel ensemble. Le professeur De Sousa lève la tête vers le bâtiment :

— Il ne manque plus que le docteur Del Piero.

Celui-ci paraît alors sur le perron. Démarche lente, une main sur la bouche pour masquer un long bâillement. Un short laissant apparaître ses genoux et un débardeur mauve tâché. Une paire de tongs aux pieds. « Oui, ça va mieux. Il y a pire que moi ». Si astrobiologie veux dire aimer les plantes et avoir la tête dans les étoiles, le docteur Del Piero en est le meilleur ambassadeur. Ils se dirigent en un groupe compact vers le réfectoire et les discussions commencent, chacun ramenant de sa nuit de sommeil une idée, une hypothèse, mais pas de réponse. Assis à la grande table devant un café et des biscuits, ils entrent dans le vif du sujet. Le volume des discussions monte, chaque groupe maintenant identifiable ayant visiblement des sujets sur lesquels débattre.

Le professeur Boda regarde Alban du coin de l'œil quand celui-ci repose sa tasse. Il a toujours, et depuis le début, cette attitude d'attente vis-à-vis de lui, comme si la solution devait sortir de sa bouche à un moment où tout le monde renoncerait à aller plus loin. Il lui repose la même question que la veille au soir, au moment où tous se séparaient pour la nuit.

— Ces provenances, qu'est-ce qui vous chiffonne avec elles ?

Alban prend le temps de réfléchir, puis, sans le regarder, répond d'un air qui fait dire à tous ceux qui attendent sa réponse désormais que la solution viendra peut-être et quand même de l'arriviste canadien.

— Ce n'est pas directement la provenance de ces signaux, mais la distance des étoiles émettrices entre elles et par rapport à nous. Le temps semble être une clé.

Le docteur De Sousa rétorque :

— Évidemment, si l'on prend l'étoile la plus éloignée et le temps d'émission du signal, enfin je veux dire, le temps nécessaire qu'il lui aura fallu pour nous arriver, et qu'ensuite nous le comparions avec celui de l'étoile la plus proche, il y a un delta de plusieurs centaines d'années. Pourtant, ces signaux nous sont parvenus avec seulement quatre heures d'intervalle pour les attentes plus longues.

— C'est précisément là où je veux en venir. Ils sont impeccablement calés sur une échelle de... pfoo... plusieurs siècles, oui, et toutes ces provenances font intégralement partie de leur message. Je veux dire, leur message serait déjà : « Nous possédons la technologie nécessaire pour nous rendre d'un système solaire à un autre… Donc, venir chez vous n'est pas un problème pour nous… ». Cela, je pense que c'est un fait bien établi et que personne ne remet en question. Ensuite, ils veulent nous impressionner avec le temps. « Regardez, nous vous envoyons ces messages de tous les coins reculés de la galaxie, et avons coordonné ceux-ci de façon qu'ils vous arrivent un par un, suivant un schéma méthodique que nous avons pris la peine de penser pour vous, et ce depuis des milliers d'années ! ». Oui, c'est bel et bien un message à part entière. Comme si le temps n'était rien pour eux, et ils veulent nous le dire. Qu'en pensez-vous ? Je veux dire : nous, nos têtes tournent rien qu'à l'idée d'imaginer ce que deviendrons nos enfants, notre civilisation, notre planète, enfin, tout… et ce dans quelques décennies seulement. Eux, ont monté une gigantesque opération qui s'étale sur plusieurs milliers d'années, et semblent vouloir nous… provoquer ? Ou… nous montrer que le temps n'est rien. Enfin, le temps n'est rien pour eux en tous cas.

Le professeur Boda demande :

— Que doit-on comprendre ? Que les messages eux-mêmes ont moins d'importance que leurs provenances ?

— Précisément, enfin, c'est un tout. Leur caractère dégressif d'une seconde à chaque fois nous dit « Oui, il y a un lien entre nous » et la distance séparant les étoiles émettrices entre elles nous dit « De surcroît, nous sommes coordonnés malgré nos distances entre nous-mêmes et vous ».

Le professeur Boda soupire longuement puis lâche distinctement :

— Démonstration de force.

Alban réfute aussitôt :

— Non, non, rien de tout ça. Démonstration technologique, d'une part, et démonstration de… Non, pas démonstration de force. Ils nous disent « Regardez, nous sommes évolués, et nous nous fichons du temps, cette chose que vous considérez comme primordiale », et ce qu'il faut comprendre par-dessus tout c'est… « ouvrez les yeux ».

Le professeur Boda répond :

— Nous nous fichons du temps, ou alors, nous le considérons comme primordial, comme vous. Mais nous le maîtrisons.

— Ah… c'est une hypothèse effectivement.

Tous se rendent maintenant dans la salle de commande, et chacun reprend sa tâche de la veille. Les groupes sont bien visibles désormais, mais tous interagissent entre eux. Un réel travail d'équipe, de temps à autre des échanges, venant confirmer les doutes des uns et des autres, ou répondre aux questions de certains. Alban n'a pas de place bien précise en fait, il passe son temps à marcher d'un groupe à l'autre, à écouter et donner son avis. Tous le respectent pour cela et se reposent sur lui maintenant, sur ce qu'il est, un décisionnaire et un leader. C'est sous les yeux du professeur Boda qu'il marche sans arrêt, se déplaçant aux quatre coins de la pièce avec une motivation et une excitation bien visibles sur le visage, pour qui sait les percevoir. Il s'assoit finalement, puis regarde le grand tableau lumineux où figure la quatorzième provenance. Une étoile se situant à 846 années-lumière de la terre. Sans fermer les yeux, il est comme engourdi.

***

Durant sa scolarité, Alban a toujours été le premier dans toutes les matières. Tout le temps. Même en musique. La seule chose qu'il détestait par-dessus tout était le sport. Une contre-indication définitive de sa mère médecin avait remplacé les mots d'excuse quotidiens dès ses 12 ans. Il faisait ses devoirs et s'en donnait lui-même lorsque ceux-ci étaient terminés. Il se réfugiait petit à petit dans le travail au fur et à mesure que ses camarades le harcelaient et lui reprochaient d'être « un intello », l'un entraînant l'autre. Il se souvient d'une fois, parmi toutes celles où il s'était retrouvé au centre des brimades, où un élève de sa classe lui avait collé un chewing-gum dans les cheveux. C'était en début de matinée, et il avait dû passer la journée entière avec cette boule rougeâtre bien visible collée à la tignasse. Certains même de ses professeurs avaient souri dans son dos ce jour-là. Sa scolarité et son adolescence avaient été un enchaînement d'humiliations et de douleurs intérieures, à tel point qu'il avait fini par être hospitalisé une semaine dans un service de pédopsychiatrie. Un jour où tout était sorti. Il avait déversé en quelques minutes un tel torrent de frustrations et de haines, que même ses professeurs en avaient tremblé de peur. Il avait ensuite intégré un lycée spécialisé pour adolescents surdoués, et sa fulgurante progression dans cette institution attirait déjà les regards des puissances gouvernementales, et le centre spatial lui-même manifestait déjà son intérêt pour ce surdoué. Il ne le sut qu'après avoir passé les concours et avoir réalisé sa thèse au bout de deux années seulement. Une thèse qui encore aujourd'hui donne des frissons à n'importe quel astrophysicien digne de ce nom, à commencer par le professeur Boda lui-même. Il l'avait repéré lors d'une de ses conférences, et bien qu'il ait déjà à l'époque entendu parler du jeune prodige canadien, son intervention et sa remarque au sujet des nébuleuses l'avaient estomaqué. Depuis ce jour mémorable du 17 janvier 1980, le professeur Boda savait désormais vers qui se tourner en cas de nécessité, comme aujourd'hui. Il avait suivi ses travaux de loin, sans jamais se montrer ni intervenir directement. Ses questions même étaient posées par un intermédiaire. Alban quant à lui ignorait tout, et il restait dans la certitude de n'être qu'un parmi tant d'autres dans cette profession qui ne compte pourtant qu'une poignée d'homme dans le monde.

***

Alban relève la tête puis regarde sa montre : 11 h 48. Il se retourne et regarde les scientifiques, toujours affairés dans le même élan. Il se dit qu'il n'est pas possible que le temps qu'il vient de passer à ses songes soit resté inaperçu. Il les suit maintenant vers le réfectoire ou ils vont prendre un repas bien mérité. Le cuisinier du centre a dû revoir non seulement ses menus, mais surtout ses approvisionnements. Lui qui d'ordinaire ne préparait les repas que pour une vingtaine de personnes, se voit aujourd'hui confier la tâche de nourrir cinquante-cinq âmes, toutes pressées de retourner en salle de travail et peu regardantes sur la qualité des plats. Un repas comme toujours copieux, bien que très simple, qu'un café bien serré termine.

C'est justement lors de ce café que le docteur Del Piero invite Alban à le suivre dehors, afin qu'ils le prennent ensemble et à l'air libre plutôt que dans l'espace confiné du réfectoire. C'est aussi l'occasion pour l'astrobiologiste de griller une cigarette. Le docteur Del Piero s'était risqué au tout début de fumer dans le réfectoire, mais les remarques de ses confrères ne l'avaient pas laissé indifférent. Arrivés tous deux sur le perron, ils descendent. Le docteur Del Piero s'assoit sur une des marches, pose son café et sort son paquet de cigarettes en interpellant Alban :

— Alors vous vous êtes creusé les méninges sur les provenances y paraît ?

— J'ai émis une hypothèse, enfin sur leurs intentions quant à leurs messages.

— J'ai entendu ça, et je suis d'accord avec vous, sauf sur un point.

Il approche maintenant une flamme à sa cigarette et se brûle légèrement les doigts avec l'allumette « merde ! ».

— Sur quel point n'êtes-vous pas d'accord avec moi ? lui demande Alban vexé.

— Je pense que c'est une démonstration de force.

— Pourquoi cela ? Enfin, pourquoi pas à la limite… Du genre « Regardez comme nous sommes forts… Acceptez ce que vous voyez comme ce que c'est : dix mille ans au bas mot d'évolution supérieure à la vôtre. Nous voulons que vous soyez comme nous, à notre image. Pacifique ».

Adriano plisse ses yeux et le regarde à travers les volutes de fumée.

— Vous faites les questions et les réponses. Fantastique. Je n'ai pas eu besoin de vous les souffler en plus. Et je suis d'accord avec ça, avec ce que vous venez de dire. Mais qui vous dit qu'ils sont pacifiques ? Et dites-moi, ne pensez-vous pas plutôt à un compte à rebours ? Parce que quand même, nous passons de soixante-treize secondes à une…

— Non et là-dessus je suis catégorique.

— Pourquoi cela ? Personne ici d'ailleurs n'a interprété cela comme un possible compte à rebours. Étonnant non ?

— Car nous ne sommes pas à Hollywood, et que ce n'est pas le scénario d'un long métrage fantastique. Un compte à rebours pourquoi d'ailleurs ? À la fin, c'est-à-dire maintenant, il y aurait un grand « boom » ? La fin de la vie sur terre ? Ils nous élimineraient avec leur arme ultime ? Non, je ne marche pas. Personne ne marche ici d'ailleurs. C'est une démonstration, vous avez raison, OK. Pacifique, mais pas de force.

— Je suis d'accord.

— Nous sommes donc d'accord désormais !

Le docteur Del Piero le regarde en souriant et recrache sa fumée en répondant :

— Nous sommes donc d'accord, oui. Et vous ? Êtes-vous d'accord avec vous-même ?

Alban ne s'attendait pas à une question si pertinente. Il réfléchit et lève les yeux au ciel, se demandant effectivement s'il avait parlé en homme ou en scientifique :

— Je pense que oui. Et vous ?

— Quoi moi ? Est-ce que je pense que vous êtes d'accord avec vous-même ou est-ce que je suis d'accord avec moi-même quand je dis qu'il s'agit d'une démonstration de force ?

— Les deux, Réponds Alban un petit sourire aux lèvres.

— Eh bien je pense comme vous. Que c'est pacifique, répond Adriano un clin d'œil dans sa direction.

C'est sur ce dernier échange que les deux hommes retournent dans la salle de commande. Alban en sourit encore. Il imagine le docteur Del Piero lorsqu'il était étudiant, plus loin encore, lorsqu'il était lycéen. Il devait avoir des cheveux, et ceux-ci auraient été sacrifiés en « dread locks » que cela ne le surprendrait pas. Il l'imagine maintenant en train de fumer de la marijuana en compagnie de ses acolytes, n'ayant pas besoin, lui, de beaucoup travailler pour avoir la note maximale à tous ses examens. Survolant les cours, sans travail personnel le soir à la maison et les jours de repos. « Oui, ce tableau dépeint bien le personnage », se dit-il d'un air amusé.

Tout le monde s'active à reprendre le travail laissé en cours ce matin, et Alban réfléchit :

« Quelle est la prochaine étape ? Que devons-nous faire, ou à quoi devons-nous nous attendre ? » C'est avec ces questions qu'il se posera toute l'après-midi que le soir arrive, déjà. Un dîner, un café, des discussions et des poignées de mains. À demain pour recommencer, encore, sans savoir où il va, où ils vont tous, et c'est dans son lit qu'il prend conscience de cette réalité. « Il n'y a peut-être plus rien à faire qu'à réfléchir sur ce que l'on sait déjà d'eux, ce qu'ils nous ont envoyé… »

Il se réveille en sueur à cinq heures du matin et reste dans son lit à écouter les insectes dans un concert de crissements. La végétation sauvage de ce petit coin de la planète s'étend à profusion sur toute la surface de l'île. Il se lève puis prend la direction des toilettes, s'étire sur le trajet et se grattant les fesses. C'est dans un long bâillement debout devant la cuvette qu'il tire la chasse d'eau. « Merde… » Il craint tout à coup que le bruit de l'eau qui s'évacue suivi de celui du bac qui se remplit, ne réveille les autres. « Trop tard ». Il enfile un pantalon souple puis un tee-shirt et finit par mettre ses baskets. Il se dirige vers la porte d'entrée puis l'ouvre lentement. Il descend maintenant dans le hall d'entrée et aperçoit le docteur Del Piero, assis sur les marches du perron, fumant une cigarette. Celui-ci se retourne en souriant.

— Bonjour Alban. Bien dormi ?

— Ma fois, dans la chaleur. Et vous Adriano ?

— Comme vous, mais j'ai l'habitude maintenant.

Encore une fois, il semble lui reprocher de n'être arrivé que l'avant-veille.

— J'ai pris une autre habitude lui répond-il en souriant.

Il se lève et se dirige vers le hall. Une cafetière crépite sur une petite table. Adriano prend la verseuse pleine de café fumant et verse son contenu dans une thermos. Il prend ensuite deux grandes tasses et se tourne vers Alban :

— Sucre ?

Alban fait un signe de tête affirmatif.

— Suivez-moi. Dix minutes de marche de bon matin, ça ne peut faire que du bien.

Alban lui emboîte le pas. Les deux hommes s'engagent sur un petit chemin qui les fait s'éloigner des bâtiments, puis ils arrivent sur la lande, en hauteur. Plus loin, un précipice abrupt marquant la fin du parcours leur offre une vue imprenable. La gigantesque parabole de trois cents mètres de diamètre apparaît fièrement. Adriano sourit à Alban et s'assoit les jambes pendantes dans le vide. Alban fait de même, et prend la tasse qu'Adriano lui tend maintenant.

— Ça vaut le coup non ?

— Oh que oui. C'est époustouflant !

Comme si cela ne suffisait pas, le soleil se lève et vient progressivement illuminer ce magnifique tableau. Les rayons se reflètent sur les panneaux d'aluminium. Adriano boit une gorgée, puis lance le regard au loin :

— Croyez-vous en Dieu Alban ? Je veux dire, la religion mise à part, croyez-vous en un créateur ? Un être, une force, une lumière, enfin une puissance régissant toute vie sur terre et dans l'univers ?

— Ça, en tant que scientifiques, que vous êtes également je vous le rappelle, je ne peux pas m'y résoudre, même si tout concorde dans l'accréditation de cette thèse. Tout concorde, mais la preuve ultime fait défaut. Oui, il pourrait y avoir quelqu'un ou quelque chose ? Je n'en ai pas la preuve et c'est justement parce que je suis scientifique que je n'aurai jamais la foi. Jamais, et en quoique ce soit. Je compte beaucoup et peut-être à tort sur la science et ses avancées pour répondre à cette question, tout en sachant au plus profond de moi que cette question est vivante et s'adapte à nos recherches, qu'elle renforce même ses codes d'accès au fur et mesure que nous les faisons sauter. Aujourd'hui, j'ai simplement l'espoir d'en apprendre un peu plus avec ces signaux, mais je sais pertinemment que ce ne sera qu'une avancée parmi d'autres, aussi incroyables soient-ils, ces foutus signaux...

— Oui. Nous vivons une époque formidable. Un moment historique même. Je ne sais pas comment tout cela va finir, ni même ce que nous allons apprendre, mais en ce qui me concerne je profite du moment présent.

Il se tourne vers Alban :

— Je n'ai pas peur, vous savez. Certains ici ont peur, même s'ils ne l'avouent pas. Cela se voit trop. J'imagine mal notre cousin de l'univers nous montrer ce dont il est capable pour ensuite nous faire du mal. Qui que ce soit, quoique ce soit, c'est pacifique vous avez raison. Mais ils veulent nous faire réfléchir par nous-mêmes, que l'on trouve notre place.

Alban se redresse brusquement, puis s'exclame :

— Que l'on trouve notre place ? Oh non de dieu...

Adriano le fixe en souriant.

— Ça y est ? Vous avez compris mon raisonnement ? Vous avez mis le temps...

Les deux hommes repartent en direction de la zone vie du centre, laissant tasses et thermos sur place. Ils accélèrent le pas même, et c'est quand ils arrivent en vue du bâtiment qu'ils aperçoivent la plupart des membres à l'entrée, y compris le professeur Boda.

— Ah et bien vous êtes là ? Nous vous attendions pour le petit déjeuner.

Les scientifiques rentrent dans le réfectoire et s'assoient, à l'exception d'Alban et Adriano qui se dirigent maintenant au milieu de la grande tablée en U. Alban prend la parole :

— Qui sont-ils ? Je veux dire, laissez parler votre imagination. Nous savons qu'ils sont intelligents, comme nous, enfin beaucoup plus avancés que nous certainement.

L'audience est prise au dépourvu de bon matin. Bouche bée et regards incrédules se tournent en direction des deux hommes. Freddy Boda répond :

— Une civilisation avancée, oui. Une civilisation implique un système, un mode de vie, comme nous. Encore une fois plus avancé. Une technologie à couper le souffle aussi. Nous avons à faire à une civilisation capable de se déplacer et d'émettre de soixante-treize localisations différentes, et qui nous signifie donc qu'il lui serait facile de venir nous rendre visite…

Alban inspire profondément :

— Et s'il y avait soixante-treize civilisations différentes ayant compris quelque chose que… nous aussi nous serions en mesure de comprendre ? Les plus évoluées tirant par le haut celles qui le sont moins ? Mais sur ces soixante-treize étoiles, enfin pardon, sur ces soixante-treize civilisations, il y en a au moins une qui à mon avis est bien supérieure aux autres, alors que les autres sont bien supérieures à la nôtre.

— Qu'est-ce qui vous fait dire ça ?

— Eh bien ils nous ont trouvé. Là, on ne parle pas d'aiguille dans une botte de foin, on parle de grain de sable dans le désert. Ils nous ont trouvés et je ne pense pas que ce soit un hasard.

— Mais qui nous aurait trouvés ?

— Soit toutes les provenances, soit une seule, et celle-là serait à l'origine de ce concert de signal, un peu comme un chef d'orchestre. J'opterai pour cette deuxième possibilité.

Le silence qui régnait jusque-là se transforme en un bourdonnement soudain de « Ho... »

Alban reprend :

— Soixante-treize civilisations différentes communiquant les unes avec les autres, mais physiquement incapables de se déplacer sur de telles distances afin de se rendre visite.

Le professeur Boda se gratte la tempe, puis se lève et marche vers le centre de la salle, rejoignant Alban et Adriano, ce dernier est resté muet depuis le début, mais un sourire de plus en plus visible s'est dessiné au fur et à mesure sur son visage.

— Où voulez-vous en venir Alban ?

— Que nous devons nous pencher sur à un soixante-quatorzième signal.

Le docteur De Sousa, discret jusque-là se lève et intervient à son tour :

— Mais qui nous l'enverrait ? Et de toute façon, celui-ci n'aurait pas de place, je veux dire, dans le temps d'émission... Le soixante-treizième et dernier signal a duré une seconde. Si l'on suit cette logique, le prochain serait d'une durée de... zéro seconde ?

— Vous n'y êtes pas. Ce soixante-quatorzième signal durerait soixante-quatorze secondes, et ce serait à nous de l'envoyer en retour.

— Mais dans quelle direction ?

— La dernière provenance, je crois que c'était... Une étoile du groupe d'Orion c'est bien ça ?

— C'est ça, mais pourquoi celle-là ? Pourquoi la dernière et pas la première ?

— Vous l'avez dit vous-même, le temps d'émission du dernier signal était d'une seconde, ils nous signifient donc que plus aucun autre signal ne nous parviendra, alors le calcul est simple : soixante-treize civilisations participent à cet échange, enfin, soixante-quatorze avec nous, mais pas une de plus. Nous devons donc envoyer un message à la dernière avec notre propre signature, c'est-à-dire un temps d'émission de soixante-quatorze secondes. Je pense que la dernière provenance est à l'origine de tout ça. Le temps d'émission de son propre signal était d'une seconde, par conséquent c'est la première dans la hiérarchie. Elle est l'instigatrice, et donc, la plus évoluée. Une évolution bien supérieure à la nôtre d'une part, mais également par rapport aux soixante-douze autres. Nous occuperons donc la soixante-quatorzième et dernière place dans le rang de l'évolution de cette… organisation ? Je préfère appeler ça une fraternité, et la première place reviendrait à celle qui nous a envoyé le dernier signal, celui qui nous est parvenu avec un temps d'émission d'une seconde.

— Mais alors selon votre théorie, si une seule civilisation a pu nous trouver, et est donc à l'origine de tout cela, comment les autres auraient-elles fait pour nous trouver à leur tour ?

— Je pense que les soixante-treize communiquent ensemble depuis déjà plusieurs milliers d'années. Oui, pas des centaines d'années mais des milliers, échangeant maintenant entre elles des informations bien plus élaborées qu'un simple salut amical, et qu'aujourd'hui elles nous laissent entrer dans leur cercle. Voilà. En gros, elle nous envoie une carte de membre. Je pense encore une fois que nous devons leur répondre, à toutes, mais avec un simple signal de soixante-quatorze secondes en direction de la dernière provenance, celle que je considère comme la mère de toutes.

— Alors… d'après vous, toutes ces civilisations communiqueraient ensemble depuis des milliers d'années, mais aucune d'elles, et surtout la plus évoluée, ne serait techniquement capable de voyager physiquement dans la galaxie ? Excusez-moi, mais ça ne colle pas. Si toutes communiquent depuis tout ce temps, plusieurs d'entre-elles pour ne pas dire la majorité maîtrise l'anti gravité et le voyage spatial.

— Bien sûr qu'elles les maîtrisent ! Mais de là à faire un voyage de plusieurs dizaines d'années pour les distances les moins longues… Non. Je pense qu'une majorité d'entre elles n'a pas cherché à en rencontrer une autre de manière directe. Par prudence aussi. C'est bien plus raisonnable d'apprendre des autres de cette manière, avec des signaux, à distance. À distance plutôt qu'une rencontre directe, mais qui arrivera… Oui, qui arrivera, mais dans plusieurs dizaines de millénaires selon moi, enfin, en ce qui nous concerne. Certaines d'entre elles se sont peut-être déjà rencontrées effectivement, d'accord… Oui, ce serait logique, mais encore une fois, c'est trop tôt pour nous. Ils ne viendront pas, du moins, pas avant des millénaires, et encore, pour les plus proches de notre système. Je pense encore une fois que nous devons répondre à la dernière provenance avec notre propre signature de soixante-quatorze secondes, et nous devons le faire le plus vite possible.

— Le plus vite possible ? Pourquoi cela ? Notre message mettra de toute façon mille trois cents ans à leur parvenir !

— Car notre temps de réaction doit leur donner une idée de notre évolution, en plus du message, même s'ils se trouvent à mille trois cents années-lumière de la terre et qu'ils ne le recevront que dans mille trois cents ans… après… la provenance la plus proche de nous, heu... Le trente-deuxième signal, je crois, se situe à dix-neuf années-lumière, donc tout est envisageable... Mais je ne pense pas que nous devons nous attendre à quoique ce soit. Non, répondons à la dernière provenance, s'en suivra pour nos lointaines générations futures un dialogue qui au fur et à mesure apportera à l'humanité des avancées technologiques d'une part, et je l'espère de tout mon cœur, la sagesse.

C'est cette fois-ci dans un brouhaha que la nouvelle est reçue. De vigoureux applaudissements et un sourire du professeur Boda pour Alban qui finit son exposé sur ces paroles en donnant de la voix :

— Messieurs, notre système solaire est vraisemblablement la 74ᵉ étoile !

C'est dans une euphorie à peine contenue que les scientifiques entrent dans la salle de commande, tous le sourire aux lèvres. Une vingtaine d'hommes en blouse blanche les accueillent sans trop comprendre la raison de leur bonne humeur. Le docteur De Sousa s'approche d'eux, tous ont compris que les paroles qu'il s'apprête à prononcer pourraient donner le ton d'une nouvelle ère.

— Messieurs, nous allons émettre. Tous les radiotélescopes du monde, et en même temps. Répondons-leur. Ils recevront notre réponse que bien après notre mort...

Les visages s'illuminent. Ils comprennent tout, tout de suite. La marche à suivre se répand ensuite comme une traînée de poudre dans tous les centres du monde entier. L'heure d'émission est fixée à quatorze heures, heure locale, laissant le temps aux scientifiques de préparer ledit message. Tout le monde s'active, bouge, et court même pour certains. Le docteur De Sousa prend alors la parole du seul point un peu élevé de la salle :

— Messieurs ! Messieurs s'il vous plaît !

Le silence revient et tous attendent qu'il poursuive.

— Je vous en prie, gardez votre calme. Nous sommes à l'imminence de la plus grande action de l'humanité depuis que le monde est monde, alors ne mettons pas tout cela en péril en oubliant, ne serait-ce qu'une petite chose. Après il sera trop tard. Je vais vous demander de modérer votre enthousiasme, et de travailler dans le calme. Merci.

Alban, Adriano ainsi que le professeur Boda arrivaient à garder leur calme. C'est isolés du reste de l'équipe qu'ils échangeaient, assis sur le canapé de l'espace détente et un café à la main. C'est un travail d'équipe inattendu… avec un scientifique certes, mais un astrobiologiste… se dit Alban. À bien y réfléchir, c'est même lui qui avait fait tout le travail. Le petit sourire en coin d'Adriano lorsqu'il vit qu'Alban avait trouvé la solution lui revint en mémoire. Il l'a peut-être toujours su en fait, ou imaginé tout du moins. Tous trois savourent ce moment. Rien ne saurait les sortir de leur béatitude, et le professeur Boda s'il avait une bouteille à portée de main, fêterait ça au champagne. Ils observent les opérateurs s'activer dans le calme revenu, mais les heures défilent et le stress commence à monter en eux. Un bon stress. Ils se tiennent au courant aussi, surtout sur la synchronisation des radiotélescopes sur toute la planète. Les commentaires qui leur parviennent sont tous aussi respectueux les uns que les autres envers l'équipe, et le « Waow ! » se fait à nouveau entendre comme pour leur rendre hommage.

15 septembre 1986, 13 h 55 et 38 secondes. Tout est prêt, partout dans le monde. Les radiotélescopes réglés avec une infinie précision et en direction de la dernière provenance, afin de la bombarder d'une ondulation identique à celle reçue, mais d'une durée de soixante-quatorze secondes. Toutes les

horloges sont réglées sur l'heure atomique, et les programmateurs se déclencheront exactement au même instant. Ce message leur parviendra peut-être un jour, dans quelques centaines d'années se disent-ils. Un pari osé, mais c'est ce qu'il faut faire, c'est la chose à faire et tous en sont désormais persuadés. Un compte à rebours se fait entendre, et tous retiennent leur souffle. Dix, neuf, huit… Tous les regards se tournent vers le grand tableau où est affichée la puissance d'émission, et celle-ci monte violemment à l'instant T. Des regards sur les chiffres de tous les autres radiotélescopes puis un premier soulagement : tous émettent, sans la moindre erreur. Au bout de 74 interminables secondes, le silence perdure bien après que les indications retombent à zéro. Encore une fois, l'impeccable exactitude des valeurs les unes entres elles leur parviennent et semblent les apaiser. C'est fait. Ça y est, c'est fait. Pourtant, personne ne bronche, et tous commencent à se regarder. Des regards, simplement. Après les « tout a bien fonctionné ? » interrogateurs, les « Oui, tout a bien fonctionné » se font entendre. Toujours avec des attentions et des petits signes de tête. Personne n'ose prendre la parole, comme si le faire pouvait les rendre responsables de ce qui venait de se passer, de l'inconnu à venir. Le professeur Boda brise le silence :

— Voilà messieurs. Il fallait le faire, et tout s'est bien passé.

Avant l'opération, ils avaient imaginé, mais sans vraiment en parler, qu'il y aurait une réponse à la leur. Réponse qu'ils ne verraient jamais, laissant cette incertitude aux lointaines générations futures. Alban, le professeur Boda et Adriano avaient pour leur part bien abordé le sujet autour du café sur le canapé. « De toute façon, il faut le faire ». Alban et Adriano se regardent maintenant. Quand le Canadien lui pose des questions, le sourire de l'Européen vient lui répondre. Le même sourire que ce matin lorsqu'ils contemplaient la parabole et le magnifique paysage de leur point de vue. Alban lui rend son sourire, et semble lui demander au travers de celui-ci « Qui es-tu petit chenapan ? ». Au bout de quelques minutes, les discussions reprennent petit à petit, et l'ambiance est au soulagement. Les opérateurs épluchent encore et encore les données. Les échanges et premiers débriefings avec les autres centres du monde entier viennent définitivement qualifier l'opération « réponse » de succès. Le professeur Boda s'assoit, puis d'un signe de main en direction d'Alban et Adriano, les fait venir à lui. Il sourit dans un long soupir de satisfaction et s'avachit sur le dossier puis pose ses mains sur son ventre bedonnant.

— Après l'effort, le réconfort messieurs.

Le docteur De Sousa revient alors avec deux bouteilles de Champagne, une dans chaque main, suivi de trois autres scientifiques eux-mêmes chargés du même breuvage. Le professeur Boda se réjouit intérieurement à leur vue. Un dernier arrive et lui apporte des flûtes en cristal dans une boîte en carton vieillie par le temps. Un coup d'œil sur l'étiquette des bouteilles toutes identiques, et Freddy Boda s'exclame :

— Rien que ça ! Remarquez, ça le vaut bien, non ? Je dirais même que c'est le strict minimum. Mettons-nous-en plein le gosier les amis !

Au total, huit bouteilles de Don Pérignon 1963 sont posées sur la petite table. 1963, la date d'inauguration du centre d'Arecibo. Le docteur De Sousa en est le directeur depuis le début, et en grand amateur il avait remisé ce stock pour un grand jour. Oui, c'est aujourd'hui se disait-il. Sans aucun doute. Il ouvre personnellement la première bouteille puis remplit une flûte qu'il tend à Alban. Celui-ci la prend, gêné, avec un regard pour Adriano. « Oui, c'est à toi que devrait revenir cette primeur ».

Adriano, comme à son habitude et lorsque le sujet est abordé tout en signe avec Alban, lui répond en souriant. Toujours le même, avec un sous-entendu « Il fallait réfléchir, et c'est ce que tu as fait. C'est toi qui es à l'origine de l'épilogue, pas moi ».

Un opérateur approche et s'adresse à Alban :

— Téléphone pour vous, le professeur Joss du centre spatial canadien.

Alban pose sa flûte qu'il apportait à l'instant même à ses lèvres, puis se dirige vers le téléphone du petit bureau où le combiné est décroché.

— Bertrand ?

— Bonjour Alban et félicitations.

— Merci, mais vous savez, il est beaucoup plus question de travail d'équipe que personnel. Je vous raconterai ça, enfin…

— J'y compte bien. Nous vous attendons demain soir au centre pour votre débriefing, et ainsi nous pourrons partager nos informations.

— Avec grand plaisir Bertrand.

— Je vous laisse, j'ai cru comprendre qu'un verre vous attend, vous le méritez ! À demain Alban.

Sur la distance qui le ramène jusqu'à ses homologues n'attendant que lui, Alban prend conscience d'une chose et se questionne « Quelles informations le professeur Joss pourrait-il bien pouvoir partager avec moi ? Quelque chose que je ne sais pas déjà ? Ce serait normalement à moi d'arriver avec une foule de précisions. »

Après un silence ponctué de lourdes respirations, le verre levé tant attendu par tous les scientifiques fait se sceller cet évènement. Un évènement mille fois plus important que la découverte de l'Amérique par Christophe Colomb.

Le lendemain matin, c'est en faisant sa petite valise d'où ses affaires n'étaient qu'à moitié sorties qu'Alban pense à Célia. Ça y est, il a le droit désormais, et même si personne ne le lui interdisait, il se l'octroie. Célia qu'il n'a quittée que depuis trois jours seulement. Un enfant maintenant, oui. Tout devient plus clair dans son esprit. Son amour pour elle et l'obligation d'aller à l'essentiel désormais. Plus de temps à perdre. Il savoure ce moment, et même dans l'hélicoptère le ramenant à l'aéroport San Juan, il ne fait que penser à elle. Il revient. Plus il y pense, plus le spectacle qu'il contemple depuis la porte latérale ouverte du Bell 205 est beau. Le tactac bruyant de l'énorme rotor bipale s'insère impeccablement, comme la batterie d'une chanson écrite par lui, et aux paroles lui criant son amour. Il se met à réfléchir à leur future destination de vacances, vacances qu'il prendra dès son retour à Montréal, aussitôt après celles de Bora Bora. Le Portugal peut-être ? Ou alors Bora Bora, encore ? Bref, faire la nique aux conventions. « Je reviens de vacances ? Oui ? Eh bien je repars en vacances. »

Lorsqu'il était jeune, Alban avait un poster d'Alien dans sa chambre avec inscrit en dessous la mention « J'y crois ». Désormais, il le sait. Enfin... là où, il en était certain, il n'y a encore que quelques secondes, il finit par se poser pleinement cette question. « J'y crois ou je sais ? ». C'est avec cette question qui occupe désormais toutes ses pensées qu'il descend de l'hélicoptère. Le Lear jet privé qui l'a conduit jusqu'ici attend sur le tarmac la porte ouverte. Le commandant de bord Larry Marechal s'approche de lui en souriant et la main tendue :

— Eh bien, je ne vous attendais pas de sitôt ! À vrai dire, j'allais repartir à vide. Si je suis encore là depuis avant-hier, c'est parce que j'ai pris le temps de visiter un petit peu cette île que je ne connais pas.

— Eh bien oui nous revoilà, et cette fois-ci inutile de me faire prendre les commandes à votre place ! Je vais me poser devant une bonne bouteille de champagne avec le professeur Boda.

— Oh vous savez, un copilote qui ronfle et qui ne sait pas faire la différence entre un F16 et un F14 !

C'est dans un éclat de rire que les 2 hommes se lâchent enfin la main. Le professeur Boda et Alban prennent place à bord du luxueux jet. L'hôtesse, elle aussi un peu fatiguée, avait accompagné Larry dans son tour de l'île express. Quelque chose avait fait dire aux deux scientifiques que Larry était pour beaucoup dans la fatigue de cette jolie blonde, à commencer par ses traits tirés, mais surtout sa démarche…

Après le décollage, promesse tenue. Les deux hommes aperçoivent l'hôtesse arriver avec une bouteille de Champagne rosée dans les mains, puis, après l'avoir posée dans un seau à glace sur la petite table au milieu de leurs sièges en vis-à-vis, se retourne pour aller chercher 2 flûtes. Le professeur Boda la soulève jusqu'à pouvoir apercevoir son étiquette puis la repose avec un petit sourire pour Alban :

— Moët et Chandon… Ce n'est pas le même standing !

— Oui, mais celle-ci elle est fraîche ! répond Alban.

Le professeur Boda semble réfléchir : « Tiens, tiens… C'est vrai ça. Nous avons bu du Don Pérignon grand millésime tiède… » Cela ne lui avait pas sauté aux yeux sur le moment, probablement à cause de la nouvelle qui occultait tout autre raisonnement se dit-il. Alban quant à lui se disait que ce que le professeur Boda voulait par-dessus tout et sur le moment, c'était boire un verre d'alcool. Leurs regards se croisent, et Alban se demande soudainement s'il n'a pas pensé à haute voix. Un sourire réciproque, pas de politesse ni de gêne, mais un vrai sourire. Les deux hommes se sont compris, et le professeur Boda avoue maintenant sans aucune honte ni retenue.

— Bah, quand j'ai soif, je boirais n'importe quoi !

Cette fois c'est clair, il reconnaît son addiction et se confie à Alban, porté par son enthousiasme. Alban pense maintenant à profiter de la situation en lui posant des questions directes. De toute façon, ce que nous venons de vivre durant ces dernières vingt-quatre heures est bien plus important et historique que n'importe quel secret d'État se dit-il.

Il le regarde et lui pose une question de but en blanc :

— Seriez-vous prêt à me dire, maintenant, enfin… Après tout ce que nous venons de vivre ensemble…

Le professeur Boda le regarde avec un petit sourire en coin, ayant compris où Alban voulait en venir. Il l'écoute finir sa phrase :

— Enfin, seriez-vous prêt à me dire tout ce que vous savez et que je ne sais pas ? Ce que personne ne sait. Les dossiers quoi…

Le professeur Boda ne sourit plus. Il tourne la tête vers le hublot, puis prend la parole le regard perdu à l'extérieur.

— Ah, vous voulez savoir pour Roswell par exemple ?

— Entre autres oui.

— Je ne sais rien sur cette affaire. S'il y en a eu une un jour. Enfin, oui, il y a une affaire Roswell. Mais était-elle montée de toute pièce pour détourner notre regard d'autre chose ? Tout ce que je peux vous dire, c'est que si le crash de Roswell a bien eu lieu, il y a tellement d'informations à son sujet que les plus vraisemblables sont noyées dans les plus farfelues, on s'y perd. Alors non, je ne sais pas. J'ai essayé à une époque, et j'ai même rencontré des gens qui se disaient intimement liés à cette affaire, et… c'était vrai, leurs noms apparaissaient dans les documents officiels, mais… même eux ne savaient plus finalement. Ils ne savaient plus si c'était vrai ou faux. Si ce qu'ils avaient vécu était vrai ou faux. Vous voyez ou je veux en venir ?

Alban boit ses paroles et semble comprendre. Il attend que le professeur aille plus loin.

— S'il a bien eu lieu, il y a eu désinformation. S'il n'a pas eu lieu, il y a eu désinformation. Je pense que nos gouvernements, et à commencer par le mien, ont désinformé tout le monde. Voilà ce que j'ai compris dans toute cette affaire.

Alban est satisfait de cette réponse. Elle respire la franchise, la transpire même, de tous les pores de son alcoolique de confrère. Il prend la parole :

— Je pense aussi que oui. Je pense que vous m'avez dit la vérité d'une part, et je pense que vous avez raison.

Le professeur Boda reprend :

— À ne pas négliger non plus l'hystérie collective face à ce genre d'affaires. Les gens, je veux dire les M. tout le monde, se nourrissent de tous ces mystères au point d'y consacrer leur vie. L'homme a besoin de ça, de mystères. Probablement pour répondre à celui de l'univers, dieu, la mort… enfin toutes ces questions sans réponses. Oui, c'est une hypothèse finalement. Les gouvernements n'y sont peut-être pour rien. Nous sommes humains, et nous cherchons. Nous cherchons en inventant nous-mêmes des histoires qui deviennent réelles au fur et à mesure du temps pour nous-mêmes, mais surtout pour d'autres. D'autres qui vont reprendre puis déformer ces histoires, un peu comme le téléphone arabe.

Alban écoute d'une oreille attentive, mais a maintenant lui aussi son regard à l'extérieur par le hublot à sa hauteur. Il aperçoit les deux chasseurs. Tout lui semble irréel. Il reprend la parole sur une question qui tranche avec le sujet :

— Au fait, on va à Houston ?

— Affirmatif, ensuite Larry vous reconduira au Canada. C'est bien là que vous voulez aller ?

Alban lui sourit, aussitôt repris par le professeur Boda :

— Ah ! Votre petite femme vous manque, c'est bien normal.

— Vous êtes marié ? lui demande Alban.

— Je suis scientifique, comme vous. Mais j'ai soixante-quatre ans.

— Que voulez-vous dire par là ? Que mon mariage est fichu d'avance ? répond Alban avec un petit rire.

— C'est inévitable. Je veux dire, avec le temps.

— Je ne pense pas, non. J'aime ma femme, et elle m'aime aussi. Nous nous aimons quoi ! Rien n'est plus fort que ça. Elle m'a supporté jusque-là, enfin elle a supporté ma vie, ma vie avec mon métier, ma passion. Oui ma vie quoi.

— Vous êtes jeunes tous les deux. Et c'est vrai que vous êtes mignons ! Si si, je vous ai vu lorsque nous nous sommes retrouvés à l'aéroport de Los Angeles. Oui, il y a de l'amour entre vous, c'est indéniable, et puis vous êtes jeunes, oui, et vous n'avez pas dix-sept ans non plus. Bref, vous savez ce que vous avez et vous savez ce que vous voulez, tous les deux, mais… comme ça, dites-moi, sans réfléchir : que choisiriez-vous entre votre femme et votre travail ?

— Ma femme, lui répond Alban du tac au tac.

Le professeur Boda inspire longuement puis répond en retournant son regard à l'extérieur :

— Je vous envie. Vous êtes plus intelligent que moi quand j'avais votre âge.

Le voyage se poursuit sans plus de mots. Des verres de Champagne qu'ils cognent doucement dans un « tchin » à chaque fois qu'ils les remplissent pour trinquer, les yeux dans les yeux. Alban pense encore à sa femme : « Oui, c'est elle que j'ai choisie, même si je devais en crever de douleur si jamais elle m'éloignait petit à petit de mon travail. Mais elle ne le fera pas. Elle m'aime et sait ce que cela représente pour moi ».

Arrivé à Houston, le petit Lear jet se gare sur le parking. D'un simple regard, le professeur Boda comprend qu'Alban ne descendra pas, trop pressé de rentrer chez lui.

— Vous ne descendez pas vous dégourdir les jambes ? Vous savez, Larry est très fort dans son domaine, mais il ne peut pas faire voler un avion qui a les réservoirs vides.

Alban se lève sur cette remarque et lui emboîte le pas. Arrivés sur le tarmac, il aperçoit le camion-citerne stationné à côté, attendant que tout le monde s'éloigne. Il fait un signe à Larry « On repart tout de suite après ». Celui-ci lui répond d'un pouce levé.

Arrivés dans le petit terminal privé, les deux hommes se sourient mutuellement dans une longue poignée de main, puis le professeur Boda prend la parole :

— Ce fut la rencontre la plus significative de toute ma vie.

— Portez-vous bien Freddy, lui répond Alban.

Le professeur Boda s'éloigne maintenant, puis disparaît derrière la porte coulissante. Alban regarde les employés de l'aéroport faire le nécessaire pour le ravitaillement en kérosène. « J'ai une bonne trentaine de minutes devant moi ».

Il sort du petit terminal sous le regard des vigiles et des quelques Marines qui commencent eux aussi à souffler. « Leur mission est finie », se dit-il. Maintenant que le professeur Boda est rentré, ils vont rejoindre leur garnison sans se soucier du petit Canadien qu'il est. Tous ont quand même un regard pour lui, se demandant l'espace d'un instant s'ils doivent le suivre ou non. C'est en Hercules C-130 qu'ils ont fait le voyage, et Alban imagine bien le contraste qu'il doit y avoir avec le petit Lear jet. Il s'adresse à un homme en costume sombre devant l'entrée, et celui-ci le reconnaissant immédiatement est à deux doigts de se mettre au garde-à-vous. Après un bref échange, il répond en lui montrant du doigt une direction. Alban entre dans une petite pièce, et décroche le téléphone sur le bureau. Deux tentatives, puis il réfléchit un petit moment pour se souvenir de l'indicatif du Canada. Il se lance à nouveau, et la tonalité qui lui parvient aux oreilles semblant le satisfaire, il s'assoit sur le bureau après y avoir poussé sans ménagement les cahiers et stylos qui s'y trouvaient.

« Bonjour mon amour ».

C'est juste après le décollage qu'il se lève et se rend dans le petit poste de pilotage. Larry le regarde d'un air faussement étonné :

— Tiens ! le pilote du dimanche… Plus de Champagne ?

Alban rit de bon cœur, puis lui montre du doigt le siège copilote comme pour lui poser la question silencieusement.

— Je vous en prie capitaine !

Alban s'assoit, bien décidé cette fois-ci à participer plus sérieusement au vol. Il attache son harnais quatre points puis se tourne vers Larry quand celui-ci le coupe au moment où il s'apprêtait à prendre la parole.

— On va faire donnant donnant vous voulez bien ?

— Comment ça ?

— Vous me dites ce que vous êtes allé faire là-bas, au radiotélescope, et moi je vous laisse tout faire, enfin les communications, la navigation, les procédures, etc.

Alban repense à la discussion qu'il a eue avec le professeur Boda sur le vol aller au départ de Los Angeles. Oui, ça allait être à son tour de garder les dossiers secrets.

— Que voulez-vous savoir ?

— On arrive en sortie de zone, il faut quitter la fréquence avec Houston international.

Il accompagne sa phrase en lui tendant un petit casque à microphone relié par un cordon à la radio VHF de l'avion. Alban sourit, puis le prend pour le mettre sur ses oreilles et finit par ajuster le micro devant sa bouche. Il regarde les paramètres de vol, puis la plaque métallique portant l'immatriculation de l'aéronef apposée sous le variomètre, et finit par se lancer en appuyant sur l'alternat de la radio :

« Houston international, Lear jet "november 678 bravo hôtel" en éloignement par le nord et niveau… 290 établi, pour quitter la fréquence. » Il écoute, amusé, le grésillement de la radio pour finalement entendre la réponse de l'aéroport de Houston : « november bravo hôtel, passez sur 118.5, bon vol et à bientôt ».

Alban regarde Larry avec un petit sourire en coin :

— J'ai été bon ?

— Comme un chef. J'aurais été instructeur j'vous signais votre renouvellement de licence. Bon, à mon tour : Comment ça va ?

Alban rit, encore une fois de bon cœur.

— Bien et vous ? bon, que voulez-vous savoir ?

— Eh bien… Votre truc à vous c'est ET c'est ça ? Enfin j'veux dire, la vie extra-terrestre et tous ces trucs-là ?

— Je suis astrophysicien. J'étudie les galaxies, en recherche de nouvelles, eh oui, oui, la recherche de vie extra-terrestre fait partie de mes compétences. Enfin, de mes fonctions. Ce n'est pas ma fonction principale ni mon principal pôle d'intérêt.

Alban regarde le panel d'instruments avec un sourire forcé puis reprend.

— J'ai l'impression que vous êtes un fan de rencontre du troisième type, non ?

— Ah, vous ne pourriez pas faire de politique vous.

— Pourquoi ça ? Pourquoi me dites-vous ça ?

Vous mentez mal. Vous tentez de noyer le poisson, et en me ridiculisant en plus. Ça aussi c'est une technique de politicien mais avec eux ça marche. Bref, vous vous foutez de moi, et là ça se voit trop.

Après ce flot de vérités, Alban est poussé dans ses retranchements. Soit il apprendra avec le temps comme le professeur Boda, soit il ne saura jamais mentir ou masquer la vérité en noyant le poisson, comme dit Larry.

— Bon, que voulez-vous savoir ?

— Arrivé à Montréal, vous allez directement rejoindre votre petite femme ?

— Là, c'est vous qui noyez le poisson... Oui, enfin non. Je vais d'abord me rendre au centre spatial ou l'on m'attend pour mon débriefing.

— Ah ! nous y voilà. En attendant, surveiller les paramètres.

Alban regarde le panel d'instrument : après quelques secondes, il s'aperçoit que le variomètre affiche une valeur de descente à 100 pieds minute. Un sourire pour Larry, puis il tourne la mollette du directeur de vol afin de recaler l'altitude à 29 000 pieds.

— Bravo monsieur l'astrophysicien ! Ça vous a sauté aux yeux presque immédiatement.

— Vous êtes dans la flatterie là, ça aussi ça se voit trop... Vous avez bien fait d'embrasser une carrière aéronautique, la politique n'est pas non plus pour vous.

Larry se met à rire, un petit rire de quelques secondes :

— Quand j'étais gamin, je voulais être président des États-Unis, et lorsque j'étais au lycée, j'ai jamais réussi à me faire élire délégué de classe, alors j'ai laissé tomber.

— Sage décision. Je vais faire mon débriefing au centre, et après je vais rejoindre ma femme. Nous partons en vacances.

— Encore ? vous ne rentrez pas de Bora Bora ? Et vous allez où ?

— Oui, encore, et je ne sais pas où nous allons. Elle-même ne sait pas que nous partons.

J'en ai bien besoin, trois semaines de plus, minimum.

— Ah oui ? Après déjà trois semaines passées au paradis ? Que s'est-il passé pendant ces trois jours à Porto Rico qui nécessite de nouvelles vacances ?

— Vous avez du mordant, vous ne lâchez jamais… Est-ce bien vrai que vous n'avez jamais été élu délégué de classe ? En tout cas, vous en possédez toutes les qualités finalement. J'ai besoin de vacances supplémentaires, car celles de Bora Bora étaient les premières passées avec ma femme en quatre ans, et que ce que je viens de vivre durant ces dernières soixante-douze heures m'ont fait prendre conscience que… Le plus important c'est elle. Je pense que je suis arrivé à la finalité de mon travail. Maintenant, je vais m'efforcer tout au long de ma carrière de retrouver ne serait-ce qu'un petit iota des émotions que j'ai ressenties au radiotélescope, avec toujours cette incertitude, enfin plutôt cet espoir de le revivre un jour. Que s'est-il passé ? C'est bien ça ? Eh bien une découverte mille fois plus importante que la découverte de l'Amérique par Christophe Colomb. Je ne suis pas politicien, alors je vous le dis tout net. Je ne vous en dirai pas plus.

Larry ne répond pas. Il a compris. Il regarde au loin, dans les nuages qui arrivent droit sur eux et à huit cents kilomètres-heure.

— Si je veux un topo météo qu'est-ce que je fais ?

— Vous regardez le radar, ou alors vous lisez directement les derniers TAF et METAR vous arrivant sur votre FMS, ou alors et en dernier recours vous contactez la fréquence du SIV. Il y a aussi la fréquence ATIS lorsque vous êtes en approche d'un aéroport. Ça ira commandant ?

— Ma foi oui. Vous pourriez être pilote professionnel haut la main.

Le vol se poursuit avec l'aéronautique comme seul sujet d'échange. Arrivé à l'approche de l'aéroport de Montréal, Larry laisse maintenant à Alban le soin de réaliser la totalité des procédures, et c'est en retrouvant la piste qu'Alban se dit qu'il n'a rien à envier à n'importe quel pilote de ligne. Larry prend le relais pour le roulage jusqu'au terminal par le taxiway, puis coupe les deux réacteurs et se tourne vers Alban.

— Bien… M. l'Astrophysicien, ce fut un plaisir, que dis-je, un honneur. Alban lui tend une main ferme.

— Pour moi aussi. Portez-vous bien Larry. Vous êtes quelqu'un de bien, et un fameux pilote. Si un jour vous êtes instructeur, je suis prêt à renouveler ma licence avec vous.

Il se lève et empoigne son sac resté sur un des sièges à l'arrière, puis emprunte l'escalier avec un sourire pour l'hôtesse. « Sacré Larry. »

***

Pour ses débuts au ministère, Boris se voit confier une petite mission qu'il prend très à cœur. Il descend de la Cadillac noire rutilante qu'il vient de garer sur un emplacement réservé aux officiels et forces de l'ordre, puis époussette la carrosserie avec sa manche. La carte du ministère de la Défense canadienne bien en évidence sur le pare-brise, il regarde fièrement et avec une posture de garde du corps les gens qui commencent à l'espionner de loin. Un badge explicite accroché à sa veste sombre et une bosse en haut à gauche de son pantalon laisse deviner une arme de poing. Il rentre dans le terminal en marchant lentement, amplifiant la montée et la descente de ses épaules à chaque pas. Il regarde sa montre. « J'ai un peu de temps. »

Il se dirige vers le seul bar du terminal, et malgré les nombreuses places disponibles en salle choisit un tabouret au comptoir. Il déboutonne sa veste puis s'assoit sur celui-ci, laissant apparaître un revolver Smith et Wesson six pouces dans son holster. Il commande un café qu'il semble savourer, reposant la tasse avec douceur après chaque gorgée, et jette un œil de temps à autre sur la foule qui regarde dans une autre direction à chaque fois qu'il tourne la tête vers elle. Il regarde encore sa montre puis se lève et prend la direction du terminal privé. « J'ai oublié de payer mon café… Pas grave ». Il marche maintenant dans un long couloir vitré et suspendu au-dessus du terminal, puis aperçoit deux hommes au bout. L'un d'entre eux lui fait un signe de la main, et il presse maintenant le pas. Arrivé à leur hauteur et à une distance suffisante qui lui permette d'engager le dialogue, il se voit couper la parole :

— Vous êtes en retard. Je vous présente M. Tremblay.

Boris le salue respectueusement, puis l'invite à le suivre en s'excusant pour le retard.

— Je suis désolé, je n'ai été mandaté pour votre récupération qu'au dernier moment.

Les trois hommes arrivent maintenant dans le terminal, puis l'homme ayant accueilli Alban à sa sortie d'avion prend congé, quand une femme vient les interrompre sur ces mots et en s'adressant à Boris.

— Monsieur ? Vous n'avez pas payé votre café…

Boris aimerait être ailleurs, et, terriblement gêné, il sort un billet d'un dollar de son portefeuille pour le lui tendre et accompagner son geste d'un « Toutes mes excuses, gardez la monnaie ». Les deux hommes se rendent maintenant vers la Cadillac et Alban regarde aussitôt le macaron apposé sur le pare-brise.

— Ministère de la Défense ? On ne va pas à St Hubert ?

— Non monsieur. J'ai reçu l'ordre de vous conduire au ministère de la Défense où vous êtes attendu.

— Qui m'attend ? Bertrand Joss est là-bas ?

— Je ne sais pas monsieur. Le ministre vous attend et il est en compagnie d'autres personnes. Je dois vous y conduire sur le champ.

Boris ouvre la porte arrière de la Cadillac et semble attendre qu'Alban y pénètre. L'air perdu, il s'y introduit finalement, puis Boris la referme et finit par prendre place derrière le volant sous le regard des curieux amassés le long du terminal. Sur la route, Alban regarde les rues et routes de son pays, Canada bien aimé. « Je suis rentré, mais que va-t-il me tomber sur le coin de la gueule ? » Il repense alors à son échange téléphonique avec Bertrand. « Nous vous attendons, ainsi nous pourrons partager nos informations ». L'euphorie de l'épilogue, lorsqu'il était au centre, mêlée à la certitude que les informations ne viendraient que de lui, une fois rentré, avait très vite éclipsé les mots de Bertrand Joss sur le moment. « Partager nos informations ». Oui, il n'est désormais plus question d'un unique débriefing de sa part. La Cadillac s'engage maintenant sur l'autoroute, et Alban se rappelle le jet privé et les chasseurs l'escortant. Pas d'escorte cette fois-ci, mais Boris semble se sentir pousser des ailes, comme s'il pensait que sa simple présence ainsi que son appartenance au ministère de la Défense canadienne suffisait à impressionner Alban. Ce jeune candide n'imagine pas d'où je viens ni ce que je viens de faire se dit Alban. Il regarde les arbres et les poteaux défiler les uns après les autres, avec de temps en temps et en arrière-plan, un grand centre commercial. Il est rentré, oui, mais il est finalement toujours dans cet état d'attente où tout peut arriver, tout peut lui être dit et appris de façon soudaine, comme si personne ne voulait qu'il retourne à la vie normale. « Que pourrait-on me dire qui pourrait me scotcher ? Ce sera difficile ! Oui, même très difficile. Je suis blindé question émotion ». Alban regarde maintenant le téléphone de voiture à sa disposition sur l'accoudoir, au milieu de la banquette arrière :

— Je peux utiliser le téléphone ?

— Bien sûr monsieur, tout est à votre disposition. Le mini bar également. Nous serons au ministère de la Défense d'ici vingt à vingt-cinq minutes.

Alban ouvre la petite porte devant lui. Une lumière s'allume sur des mignonnettes d'alcool fort, et sur la gauche sont entreposés de petits verres et un bac à glaçons réfrigéré. Il cherche entre toutes les bouteilles, en les sortant quelquefois pour bien lire leurs étiquettes, puis en prend une dont il dévisse le bouchon. Il l'approche de son nez, puis en hume les vapeurs. « Vodka… Bingo » il vide son contenu dans un verre en y ajoutant deux glaçons puis referme la porte. Son verre à la main, il repense au professeur Boda avec sa bouteille de Champagne à ses pieds dans le Lear jet privé. « Il est grand temps que je rentre chez moi ». Il décroche maintenant le combiné de sa main libre, puis le coince contre sa joue avec son épaule et finit par composer le numéro.

— Allo Célia ?

— Oui mon amour. T'es rentré ? Tout va bien ? T'es où là ?

— En voiture, je vais au centre et après je rentre à la maison.

Il boit son verre d'un trait puis reprend :

— T'as fait ta peinture ?

— Oui ! Je t'attends pour le vernissage. Tu vas être surpris.

— J'espère bien. C'est pour ça que je t'aime. Tu me surprends toujours. Je te laisse, j'arrive au centre. À ce soir, tard, mais à ce soir. Je t'aime.

À peine prend-il conscience qu'il vient de raccrocher à sa femme sur un mensonge qu'il ouvre à nouveau la petite porte pour se servir une autre vodka. Il voit maintenant les sachets de cacahuètes bien en évidence sur la porte, retenues par un petit filet élastique. Il les avait totalement occultées pour son premier verre, comme si après sa dose désormais ingurgitée, son attention revenait petit à petit à la normale. Il avait pourtant faim réalise-t-il soudainement. Il n'avait rien mangé depuis le petit déjeuner à Porto Rico, et s'était aussi délecté d'une bouteille de Champagne avec le professeur Boda dans le Lear jet sur la branche jusqu'à Houston. Huit heures de vol en tout pour arriver jusqu'ici. Après deux paquets de cacahuètes engloutis, il se ressert un verre qu'il se promet de boire lentement, quand Boris lui adresse la parole :

— Voulez-vous de la musique, monsieur ?

— Oui bien sûr. Qu'avez-vous à me proposer ? ou non, tiens, je vous fais confiance.

Boris prend alors une cassette dans la boîte à gants de la Cadillac qu'Alban devine personnelle, puis l'introduit dans le gros poste dernier cri de technologie.

« Wow se dit Alban. Ce type est devin ». Boris se retourne :

— C'est la comédie musicale Starmania… Vous aimez ?

— Beaucoup. Ma femme aussi. Ma préférée c'est le « Blues du businessman », mais « Quand on arrive en ville » c'est très bien aussi.

— Justement, on arrive bientôt.

Alban regarde alors par la fenêtre en écoutant Johnny Rockfort cracher sa défiance à la société. Des boulevards perpendiculaires, se croisant entre eux, ont remplacé la longue et calme autoroute. Son verre vide, il le pose sur le siège à sa droite. La voiture s'arrête maintenant devant une barrière, et un planton en fait le tour pour ensuite faire un signe de la main à un autre resté dans la guérite. Une pression du doigt de celui-ci sur un bouton, et la barrière s'ouvre, laissant passer la Cadillac qui s'engouffre maintenant dans l'allée, puis s'arrête exactement devant la grande porte d'entrée où l'attend Bertrand Joss. Alban descend sans attendre que Boris vienne lui ouvrir la porte, puis tend une main à son supérieur, directeur du Centre Spatial.

Après de cordiaux échanges, le professeur Joss invite Alban à le suivre. Ils marchent au milieu du gigantesque patio en croisant une dizaine de personnes. Tout le monde semble être hyperactif, du moins c'est son ressenti, mais n'étant jamais venu dans cet endroit, Alban n'a aucune référence et se dit qu'il est possible que cette effervescence apparente soit naturelle. Le professeur Joss prend alors la parole sans se retourner :

— Nous vous attendons en salle de conférence, et vous le verrez, beaucoup de gens importants sont-là, à commencer par le Premier ministre. Je vous dis ça pour que vous ne soyez pas surpris, et il risque de vous demander personnellement des précisions. Vous allez comprendre ce qui se passe.

Les appréhensions d'Alban se confirment de plus en plus. Non seulement il allait apprendre quelque chose, mais de surcroît, cela risquait d'être sérieux. Suffisamment en tout cas pour que le Premier ministre en personne soit au cœur de la situation en présidant la cellule de crise. Sûr que tous les gouvernements du monde fassent de même désormais. Mais que se passe-t-il ? se demande-t-il. Ils arrivent à l'entrée de la salle de conférence officielle gardée par des militaires en armes, et ceux-ci s'écartent pour les laisser entrer. À l'intérieur, une vingtaine d'hommes, tous assis autour d'une table en U avec à son extrémité le Premier ministre et le ministre de la Défense à sa droite. Des généraux et des spécialistes de toutes sortes n'ont désormais d'yeux que pour lui. Le professeur Joss lui montre une chaise où il s'assoit, puis fait un petit signe de tête en direction du Premier ministre qui le lui rend. Le professeur Joss prend alors la parole :

— Messieurs, le docteur Tremblay revient directement de la base d'Arecibo. Il n'est donc pas au courant des manifestations de ces derniers temps, alors je propose avant toute chose de lui présenter les faits afin qu'il puisse nous donner son avis, avis que tout le monde attend.

Le Premier ministre le reprend immédiatement pour poser une question à Alban :

— Avez-vous constaté une quelconque forme d'hostilité émanant du phénomène ?

Alban se tourne l'air incrédule vers le professeur Joss assis à sa droite, puis répond :

— Non monsieur, rien d'hostile. Ce n'était que des signaux, et cela semblait être… Enfin tout cela ressemblait plus à un concert pluricivilisationnel pacifique qu'à quelque chose de nuisible, ou qui menacerait directement l'humanité. Pourquoi ?

Le Premier ministre lui répond par une nouvelle question :

— Pensez-vous alors qu'il pourrait s'agir d'une mise en garde ?

— Eh bien… Le simple fait de recevoir 73 signaux de 73 provenances différentes, et ce de 73 civilisations différentes nous montre que nous avons affaire à des civilisations beaucoup plus avancées que nous alors… Pourquoi ? Je veux dire, pourquoi nous mettraient-ils en garde ? Je vous confirme qu'ils sont en avance sur nous de plusieurs milliers d'années, alors pourquoi nous mettraient-ils en garde et contre quoi ?

— C'était un peu l'objet de ma question M. Tremblay.

— Mais que se passe-t-il ? Vous pouvez me dire enfin ce qui se passe ?

Alban lance cette dernière question en balayant de sa tête toute la tablée et regardant la plupart des membres. Le Premier ministre fait alors signe à un homme assis près de lui. Celui-ci se lève puis regarde directement Alban. Il prend la parole :

— Je suis le professeur Sojli, médecin psychiatre désigné par le gouvernement pour cette affaire.

Alban le fixe. Ça y est, il va enfin savoir. Après cette présentation, un long silence, puis le professeur reprend :

— Chaque signal est accompagné d'une manifestation. Partout dans le monde. Cette manifestation se caractérise par le biais d'une personne. Soixante-treize signaux, soixante-treize cas recensés. La seule différence entre les signaux et les manifestations, c'est que les manifestations sont apparues pour la première neuf semaines avant les signaux. La dernière remonte à lundi dernier. Un homme de soixante-cinq ans, au Chili. La première, il y a un peu plus de deux mois. Un homme de vingt-trois ans, en Chine. Retenez bien la notion d'égalité entre les signaux et les manifestations. Un signal égale une manifestation. Entre les deux, il y a eu un vieillard de cent trois ans en Pologne, une animatrice vedette de la télé australienne âgée de trente-cinq ans, des enfants aussi. Les sujets ne semblent pas communiquer entre eux, mais ils ont en revanche plusieurs points en commun. Ils sont nés surdoués, avec une tendance à la clairvoyance, et... Ils ont tous fait récemment une E.M.I. Savez-vous ce que c'est ?

Alban vient encore une fois de prendre un coup sur la tête, un coup si fort qu'il se demande s'il s'en relèvera cette fois-ci. Il reprend finalement ses esprits, suffisamment pour répondre d'une voix qu'il ne reconnaît pas lui-même, tant elle est altérée par l'émotion :

— Une E.M.I ? Je crois que c'est… se retrouver en état de mort cérébrale, ou un arrêt cardiaque, et… et revenir ?

— C'est exact. L'acronyme E.M.I signifie « expérience de mort imminente ». Tous ces sujets en ont donc fait une, et ce dans les quatre mois maximum avant les signaux. Il y a autre chose qui les qualifie. Il semblerait qu'ils souffrent tous de dépression, ou d'un genre de mélancolie…

Le Premier ministre se lève alors en tapant un poing rageur sur la table et perdant visiblement son calme, coupant le professeur Sojli qui se tourne dans sa direction.

— Non de Dieu Nikolaï ! Vous êtes médecin ! psychiatre de surcroît ! Trouvez-moi un seul cas de dépressif dans toutes les annales de médecine capable de faire léviter un camion de trente tonnes pendant cinq minutes sur une autoroute ! capable de faire tomber un chêne centenaire rien qu'en le regardant ! faire faire un stationnaire à un Boeing 747 au-dessus d'un porte-avions comme un putain d'hélicoptère ! L'un de vos dépressifs comme vous dites a même tué un ministre en France !

Pour Alban, c'en est trop. Il prend sa tête dans ses mains. Le Premier ministre retrouve soudainement son calme. Alban a sa dose, ça y est. Les signaux, maintenant ça. Le professeur Joss prend alors la parole :

— Messieurs, je pense qu'une pause nous ferait le plus grand bien. À tous.

Tout le monde se lève sur ces paroles sans attendre l'avis du Premier ministre. Oui, lui aussi se disent-ils, il lui faut un break.

Ils sortent désormais par la grande porte que les gardes ouvrent, ne laissant dans la salle que quelques personnes, et entre autres Alban, le professeur Joss et le Premier ministre. Alban sort de son accès de stress puis s'adresse au professeur Joss :

— Qu'est-ce que c'est que cette histoire ?

— Le professeur Sojli vient de vous le dire. Des citoyens du monde entier semblent être intimement liés aux signaux, et ce de manière surprenante. Là, nous parlons même d'ésotérisme... Ils ont chacun fait parler d'eux de façon extraordinaire.

— Mais M. le Premier ministre a parlé de camion en lévitation et d'un Boeing faisant un stationnaire ?

— C'est bien ça. Soixante-treize signaux et soixante-treize manifestations... incroyables. Soixante-treize personnes comme vous et moi, faisant soudainement parler d'eux de manière ahurissante, en réalisant quelque chose d'invraisemblable, comme faire léviter un camion... C'est un fait, voilà. Chacune de ces soixante-treize personnes est intimement liée à un signal, il n'y a plus aucun doute dans nos esprits. Par exemple, le treizième signal en provenance de la constellation du cygne correspond à la treizième manifestation, une vieille dame en Albanie qui... enfin, a fait quelque chose d'incroyable. Elle avait été déclarée morte trois semaines avant de se manifester, à la suite d'une embolie pulmonaire, puis revenue à la vie après un massage cardiaque... Comme les soixante-douze autres. Ils ont tous été déclarés mort et sont revenus de la mort, de l'au-delà, enfin, appelez ça comme vous voulez... Les patients, les accidentés et les morts revenant à la vie par miracle, ce n'est pas nouveau, il y en a plusieurs centaines par an tout autour de la planète, mais là, soixante-treize d'entre eux sont liés de façons sûres aux signaux reçus par les radiotélescopes durant ces quatre derniers jours. Et ils ont tous fait quelque chose d'incroyable, chacun de leur côté.

— Le Premier ministre a parlé d'un ministre tué en France, alors qu'est-ce que c'est que cette histoire ?

— Ah, un gamin de six ans, la quatrième manifestation. Il discutait en aparté avec le ministre de l'Éducation dans une salle de classe à l'occasion d'une visite de celui-ci dans l'établissement, et lorsque tout le monde est rentré le ministre était mort. Ça s'est passé sur la côte ouest en France.

— Et c'est le gamin qui l'a tué ?

— Oui et non. Lors de l'autopsie, les médecins légistes lui ont diagnostiqué un cancer des poumons avec des métastases un peu partout, il était condamné de toute façon. Seulement, il ne le savait pas, je veux dire, le ministre. Il ne savait pas qu'il avait un cancer et que ses jours étaient comptés.

— Donc le gamin ne l'a pas tué alors ? C'est son cancer qui l'a tué ?

— Non, c'est là où ça devient vraiment curieux… Les médecins légistes n'ont pas trouvé son cœur… Il avait disparu. Ni plus ni moins. Les artères étaient ligaturées entre elles, l'artère pulmonaire également… Enfin, son cœur avait disparu. Voilà. Plus de cœur. Il a discuté avec ce gamin pendant à peine quelques minutes, et quand tout le monde est entré… Enfin voilà. Un gamin de six ans aurait vraisemblablement ouvert le thorax d'un homme, lui aurait prélevé son cœur à la manière d'un grand chirurgien, pour ensuite suturer le tout. Le gosse avait été déclaré cliniquement mort quelques semaines avant à la suite d'un accident, puis revenu à la vie à force de réanimation. Comme toutes les autres manifestations. Le gamin est intimement lié au quatrième signal, celui en provenance du bras de la constellation du Verseau. Nous le savons.

— Et le cœur du ministre où est-il ?

— On ne sait pas. Personne ne sait. Il a disparu.

— Et le gamin qu'est-ce qu'il a dit ?

— Rien. Les manifestations ne parlent pas. Ils s'enferment tous dans un mutisme. De plus... le gamin a disparu lui aussi, mais deux jours après, pendant son observation.

— Il a disparu ?

— C'est ça.

— Quel âge déjà ?

— Six ans.

— C'est une blague ? et ses parents n'ont rien dit ? Ils le cachent peut-être ?

— Oh non... Ils sont abattus, vous imaginez bien. De plus, ils sont au-dessus de tout soupçon. Un père dans la gendarmerie depuis dix ans, et... Oui, la gendarmerie en France, c'est un genre de police militaire. Une mère au foyer et une sœur de trois ans son aînée. Une famille sans problème.

— Et c'est donc la seule manifestation manquante ?

— Oui... Mais franchement, ce qu'il a fait à ce ministre ne vous impressionne pas plus que sa disparition ?

— Si...

— Oh, les autres manifestations sont toutes aussi impressionnantes...

Alban se met à marcher sans but dans la salle désormais désertée après cette dernière information. « Quand cela s'arrêtera-t-il ? » C'est en moyenne un coup par jour, quoique celui-ci soit le plus violent. Des manifestations bien visibles, et palpables celles-là, et aux yeux des populations heureusement désinformées. Des petits pas, la tête penchée en avant. Le Premier ministre et le professeur Joss le regardent, ayant compris qu'Alban reprenait lentement ses esprits, et tentait maintenant de chercher la clé. La clé qu'il possède dans son « trousseau », mais qui en contient huit milles au bas mot. Alban revient vers les deux hommes :

— Rien de vraiment hostile finalement ? Même pour les autres manifestations ? Je veux dire, pour celle-là, le ministre n'est pas mort, enfin directement avec le gamin… enfin la manifestation ?

— Non…

— Comment se traduisent les autres manifestations ? vous m'avez parlé d'un Boeing faisant un stationnaire au-dessus d'un porte-avions par exemple ?

— L'USS John Kennedy. Il naviguait dans l'océan Atlantique, au large de l'île de la Martinique et à une distance suffisante de sa côte Est pour que la population ne puisse voir ce qu'il se passe. Un Boeing 747 de la compagnie Corsair venait de décoller de Fort-de-France lorsqu'il a soudainement dévié de sa route de façon spectaculaire. Enfin, les paramètres de vol indiquaient clairement aux pilotes qu'en situation normale, l'avion aurait décroché. Ensuite, il est venu se positionner en stationnaire à une hauteur de dix mètres au-dessus de la plus haute antenne radar du navire. Il y est resté en suspension, avançant même impeccablement avec lui, comme calé sur sa vitesse de six kilomètres-heure. Il y est resté pendant exactement vingt-huit secondes. Vous vous en rendez compte ? Un Boeing de trois cents tonnes en vol stationnaire ! À bord se trouvait une femme de trente-deux ans, une infirmière Russe, la vingt-huitième manifestation, toujours étroitement liée à un signal, le vingt-huitième, celui en provenance d'une étoile proche de Persée. Elle avait fait une méningite deux mois avant, avec toujours une réanimation qui tient du miracle.

— Et tous les autres ? Tous aussi spectaculaires ?

— Pas tous non, mais certains quand même : En Norvège, une artiste connue, Nina Johannsen, a coupé l'électricité de la ville entière pendant cinq minutes et s'est introduite dans la résidence du président. Celui-ci se retrouvant dans le noir de sa chambre a vu la lumière revenir sur cette femme qui se trouvait au pied de son lit, et le grand mur en face de lui était entièrement recouvert de peinture fraîche : Une impeccable reproduction et dans les moindres détails de la constellation du Sagittaire. La soixante-huitième manifestation, et la provenance du soixante-huitième signal, je crois ? La constellation du Sagittaire ? Si vous aviez encore un doute sur le lien qu'il pouvait y avoir entre les signaux et les manifestations, n'en ayez plus donc.

— Je n'en ai plus. Je ne doute pas non plus que tout soit pacifique en eux. Dites m'en plus encore. J'ai besoin d'avoir toutes les informations. Il me les faut toutes, sans exception. Un début d'explication s'y cache peut-être.

— Eh bien en voilà une, une qui nous inquiète plus que toutes les autres : La trente-deuxième manifestation ne… ne s'est pas manifestée. Pas encore du moins.

— Ah oui, ça, c'est capital effectivement… Mais le professeur Sojli m'a dit : « un signal est égal à une manifestation, soixante-treize au total », alors…

— Disons qu'il ne vous a dit qu'une partie de la vérité. Il manquait cette information, capitale oui, mais vous deviez connaître le phénomène dans sa totalité avant d'apprendre ce dernier point.

Alban reprend petit à petit pleinement ses esprits, puis finit par demander au professeur Joss avec un petit sourire :

— On pourrait peut-être se restaurer et boire un verre non ? Pour ma part, je n'ai presque rien avalé depuis mon départ d'Arecibo.

— Excellente idée.

Le professeur Joss semble alors interroger le Premier ministre, et celui-ci acquiesce d'un signe de tête puis lève une main vers un homme qui s'absente aussitôt.

— Allons dans la salle à manger privée, nous serons mieux.

Le Premier ministre s'approche alors d'Alban :

— Jeune homme, je vous repose la question : maintenant que vous savez tout, s'agit-il selon vous d'une mise en garde ?

— Oui. Ni plus ni moins. Oui.

— Une mise en garde pourquoi ?

— Notre façon de vivre, notre mépris pour nos semblables. Nos guerres. Ils veulent nous faire réfléchir. Je pense que c'est ça. Je suis astrophysicien. Là, c'est l'homme qui vous parle. L'astrophysicien vous dit et vous confirme qu'ils sont bien plus évolués que nous. L'homme vous dit qu'ils se servent de leur évolution pour nous élever à leur niveau. Ils veulent nous aider, nous ouvrir les yeux.

— Merci. Tout cela m'éclaire. J'ai plusieurs fois entendu ce raisonnement, mais je voulais votre avis. Je suis même d'accord. De plus, nous n'avons pas le choix.

— Et la population ? Est-elle au courant ?

— Non. Ce ne sont que des faits isolés, et la désinformation est très facile.

— Où sont-ils tous ? Les soixante-treize ? Enfin je veux dire les soixante et onze ?

— Chacun en observation et isolé du reste de la population par leurs gouvernements respectifs.

— Et les parents du gamin, la quatrième manifestation ?

— Ah… C'est difficile. Nous devons coûte que coûte maintenir le secret, et la disparition du petit passe pour l'instant pour un enlèvement.

— Nous avons donc deux manifestations dans la nature, dont un gamin de six ans et une autre qui ne s'est pas encore manifestée ? Rien de plus à m'apprendre ? Plus de secret, enfin d'informations capitales à m'apprendre ?

— Non, vous savez tout. Tout sur tout.

Alban baisse maintenant la tête, se gratte le front puis reprend :

— Tous les sujets, les manifestations, ont donc fait une expérience de mort imminente quelque temps avant ?

— Oui. Connaissez-vous ce phénomène ? Je veux dire, plus en détail ?

— Eh bien… J'ai lu un livre sur le sujet, « la vie après la vie » de Raymond Moody. Tous les patients ayant fait une E.M.I après un accident grave, une maladie, un AVC ou autre, parlent d'un tunnel avec une lumière en son bout. Une lumière remplie d'amour.

— C'est exact. C'est ce qui revient dans chaque témoignage. Le phénomène est pris de plus en plus au sérieux par le corps médical, c'est même devenu un sujet d'étude, enfin, le caractère ésotérique de l'E.M.I s'efface progressivement chaque année un peu plus. Certains grands professeurs en médecine commencent même à en parler ouvertement, avouant à demi-mot que le cerveau n'est peut-être pas l'organe de la conscience, bref, qu'il y a bien quelque chose après la mort.

— Et le gamin par exemple, celui qui a enlevé le cœur du ministre en France, que s'est-il passé pour lui ? Je veux dire, qu'est-ce qu'il l'a amené à faire une E.M.I ?

— Si je me souviens bien, c'était un traumatisme crânien après avoir chuté d'un arbre il y a trois mois. Son cœur s'est arrêté de battre pendant plusieurs minutes, et à force de réanimation les médecins l'ont fait repartir. Des faits à peu près similaires pour la plupart des autres manifestations. Des accidents de la route, des crises cardiaques aussi.

L'homme parti tout à l'heure sur un signe du Premier ministre revient :

« Messieurs, quand vous voudrez ». Ils lui emboîtent le pas, et tout en marchant, continuent à discuter.

— La vie après la mort, des signaux en provenance des quatre coins de notre galaxie, des gens comme vous et moi capables de choses surhumaines... Ma parole, toute cette affaire commence à me dépasser.

— Elle nous dépasse tous. La réalité rejoint la fiction... Mais nous ne sommes pas dans un film, je peux vous l'assurer.

— Et cette trente-deuxième manifestation alors, peut-on imaginer qu'elle se soit déjà manifestée sans que nous le sachions ?

— C'est une possibilité. Mais le problème pour nous et pour tous les gouvernements qui ont pleinement conscience de la situation, c'est de savoir s'il va se passer quelque chose désormais. Je veux dire, avec cette manifestation. Nous ne savons rien d'elle. Ni de ses intentions, ni de sa localisation dans le monde, ni si elle s'est déjà manifestée sans que nous le sachions... rien quoi. Strictement rien. Vous comprenez bien qu'au-delà des signaux qui nous impressionnent et nous émerveillent autant que vous, en tout cas pour ma part, les manifestations qui leur sont appropriées nous inquiètent, enfin nous inquiétaient tout du moins, mais cette trente-deuxième manifestation avec ses lots d'incertitudes nous questionne toujours, et ce au plus haut point. À quoi doit-on s'attendre ?

— Je n'ai pas la réponse, monsieur. Enfin, pas comme ça, à chaud en tout cas.

Les trois hommes arrivent dans la salle à manger. Une grande salle officielle, ornée de dorures et de tapis ancien. Un plafond d'une hauteur incroyable, et au milieu de la salle une énorme et grande table en chêne avec trois ridicules couverts dressés à son bout. Les hommes prennent place, et Alban repense encore une fois à cet enchaînement :

« D'abord Bora Bora, ensuite M. Winkler, le jet privé avec le professeur Boda, l'escorte des chasseurs, le centre d'Arecibo, les signaux et leurs secrets se dévoilant finalement rapidement... Oui, très rapidement même... Merci Adriano ». Alban lève soudainement la tête à la fin de cette pensée :

— Est-ce que je peux téléphoner ?

— Bien sûr, à votre femme ?

Alban se dirige sans un mot vers le téléphone de la pièce, puis se retourne vers le Premier ministre :

— Je voudrais appeler le centre spatial Européen.

Un homme resté en retrait à l'entrée de la salle à manger s'approche alors, puis décroche le combiné :

— Bonsoir, Mike, assistant du Premier ministre. Mettez-nous en relation avec le centre spatial européen sur le champ s'il vous plaît.

Après quelques secondes à attendre, l'homme tend le combiné à Alban sur un « Monsieur ». Alban le prend, puis semble réfléchir. « Je suis bon au poker ».

— Bonjour madame, je suis le docteur Tremblay du centre spatial Canadien, pourrais-je parler au docteur Del Piero s'il vous plaît ?

— Le docteur Del Piero n'est pas là monsieur, il est arrivé au centre il y a une heure pour y déposer ses dossiers puis il est reparti aussitôt.

— Et vous a-t-il dit où il allait ?

— Eh bien… Vous le connaissez ? Je veux dire, vous le connaissez bien ? Alban rentre cette fois-ci comme dans un gant dans son rôle de bluffeur :

— Oh que oui ! Sacré phénomène ce biologiste… Il m'a fait rire pendant deux jours non-stop, et toute l'équipe aussi… En fait, il était convenu que je le rejoigne pour des vacances que nous avions prévu de passer ensemble, ainsi que nos compagnes…

— Sa compagne ?

Son interlocutrice rit aux éclats :

— Remarquez, c'est bien lui ça… Il vous a dit qu'il était en couple ? Ah ah ! ça ne m'étonne pas non plus… Il n'a jamais été fichu d'en garder une seule, et je sais de quoi je parle, mais nous sommes restés bons amis, pas de problèmes, à vrai dire son accident nous a un peu rapprochés je dirais…

Alban commence à transpirer, contrastant soudainement avec son attitude joyeuse à tel point que le professeur Joss et le Premier ministre le regardent sans comprendre.

Alban respire puis rentre à nouveau dans son jeu d'acteur :

— Oui il m'en a parlé aussi, son arrêt cardiaque, tout ça…

— Remarquez, il revient de loin quand même. Quand on voit les photos de l'hélico complètement brûlé, on se demande comment il a fait pour s'en sortir ! Après, son voyage, tout ça, avec le tunnel et la lumière au bout, sa révélation… Bref, on y croit ou on n'y croit pas, mais ça vous transcende… Surtout quand il vous en parle, avec passion.

Alban comprend tout. Avant de raccrocher poliment, et toujours dans le ton de l'échange, il lance cette ultime question :

— Et vous a-t-il dit où il partait ce lâcheur ?

— En vacances, seul. Égal à lui-même. Je suis désolé de vous l'apprendre, mais vous et votre femme allez devoir passer vos vacances sans lui.

— Oh, ce n'est que partie remise vous savez, je le chopperai un jour le baba cool... Mais où s'est-il rendu ?

— Tout à l'heure lorsqu'on lui a posé la question il nous a répondu en s'éloignant : « Le trente-deuxième parallèle ». C'est dire ! On ne sait pas, quoi !

Alban raccroche cette fois-ci après une formule de politesse. Il regarde le professeur Joss et le Premier ministre avec un grand sourire :

— Messieurs, j'ai trois grandes nouvelles à vous annoncer : tout d'abord, le trente-deuxième signal a bien eu sa manifestation associée. Il s'agit du docteur Del Piero du centre spatial européen. Je viens d'apprendre qu'il a survécu à un accident d'hélicoptère il y a quelque temps, et apparemment, lui aussi aurait fait une E.M.I. Celui-ci m'a soufflé la solution sur tous ces signaux lorsque j'étais au centre, voilà qu'elle était sa mission, enfin... vous avez compris je pense. À bien y réfléchir, ce pourrait être la plus époustouflante manifestation de toutes, et ce, même si je ne les connais pas toutes. Il m'a mis sur la voie, que dis-je, l'a tracée devant moi et m'a pris par la main pour la parcourir du début à la fin. Je pense que de tous les observateurs de ces phénomènes, je suis celui qui a approché un des soixante-treize de la façon la plus intime qu'il soit. La deuxième nouvelle, c'est la réponse à cette question qui vous inquiète tant monsieur le Premier ministre : Soyez sûr désormais, et à cent pour cent que leurs intentions sont uniquement pacifiques. Soyez-en certain. Je vous dis ça en tant que privilégié, je veux dire, je suis la seule personne qui ait approché au plus près une de ses manifestations, et croyez-moi : il n'y a rien ni personne de plus pacifique sur terre que cet homme. Il respire la paix de toute son âme.

— Bien, bien, me voilà rassuré. Quelle est cette troisième grande nouvelle ?

— C'est que je ne vais pas pouvoir rester avec vous vous pour le dîner. Ma femme m'attend, et je vais la rejoindre de ce pas.

Devant cette annonce, le professeur Joss et le Premier ministre comprennent qu'Alban a pris sa décision. Inutile d'essayer de le retenir. C'en est fini. Terminé. Toutefois, le Premier ministre s'adresse encore une fois à Alban déjà sur le départ :

— Docteur Tremblay, une dernière chose, enfin quelques précisions : Tout d'abord, nous nous reverrons demain matin. Un chauffeur va vous conduire ce soir à votre domicile et vous ramènera demain. Ce n'est pas négociable. Ensuite, nous consacrerons notre énergie à cette dernière question : qu'allons-nous faire de ces soixante-treize manifestations, sans compter que deux d'entre elles sont dans la nature ? Aussi pacifiques soient-elles. Je compte sur vous pour leur parler une fois que nous aurons retrouvé leur trace. Il y a d'ailleurs une question qui me vient à l'esprit : la totalité des manifestations ne parlent pas, ne répondent pas à nos questions. Lui oui. Pourquoi ? C'est une question à laquelle je vous demande de réfléchir. Prenez ça comme du travail à faire à la maison, des devoirs.

— Je me la suis posée bien avant que vous me l'imposiez, Monsieur le Premier Ministre.

— Dans ce cas, je ne vous retiens pas. Passez une excellente soirée, et mes respectueuses salutations à votre épouse.

Alban sourit de plus belle :

— J'ai tellement de choses à lui raconter... Je ne vais pas commencer par lui apprendre que j'étais sur le point de dîner

avec vous, pour finalement prendre congé au dernier moment !
Mais je lui transmettrai volontiers vos salutations.

— Je vous rappelle néanmoins que vous êtes tenu au secret.

— Ça, elle le sait. Bonne soirée Monsieur le Premier Ministre.

Alban s'adresse au professeur Joss « Bertrand » et le salue
d'un signe de tête. Il s'éloigne, puis parvenu dans le long couloir
qui longe la salle à manger il attrape sans gêne un petit pain frais
posé sur un chariot, vraisemblablement destiné à leur repas. Il
mord dedans et l'engloutit en quelques secondes, à peine le
temps d'arriver à l'entrée principale du ministère. Boris l'attend
devant avec la Cadillac prêt à le reconduire. Un signe de tête
échangé, il lui ouvre la portière arrière et Alban se laisse
littéralement tomber sur la banquette. Une fois derrière le volant,
Boris lui pose une question, comme pour lever un doute :

— Devon avenue à ville Mont-Royal c'est bien ça ?

— Tiens tiens… Vous connaissez mon adresse ? Vous
travaillez pour le gouvernement ou quoi ?

Boris rit dans le rétroviseur, très fier de cette remarque, alors
qu'Alban qui écrase un rire railleur dans sa main reprend :

— Vous êtes suffisamment important en tout cas pour ne pas
payer vos cafés.

— Oui… Mais j'ai une bonne mémoire.

— Comment ça ? Vous y seriez retourné pour le régler ?

— Prenez place confortablement sur votre siège, je veux dire,
épousez bien le dossier… Vous pouvez même le baisser, vous
savez ? Avec le petit bouton sur l'accoudoir. Vous pouvez même
vous allonger. Faites comme chez vous, ensuite resservez-vous
une vodka, j'en ai remis, et j'ai aussi remis des biscuits
apéritifs… Bref, nous en avons pour environ quarante minutes
de route jusqu'à votre domicile, alors nous allons tout faire pour
que ce moment vous soit agréable.

— Vous vous souvenez que j'aime la vodka ? Bien, le ministère de la Défense a dû voir en vous un élément indispensable !

Boris lui sourit, toujours dans le rétroviseur intérieur.

— Vous êtes prêt ? Oui ?

Il approche une main du radiocassette et actionne le gros bouton de mise en marche en y tournant le volume au maximum.

« J'ai du succès dans mes affaires, j'ai du succès dans mes amours, je change souvent de secrétaire…

J'ai mon bureau en haut d'une tour, d'où je vois la ville à l'envers, d'où je contrôle mon univers… »

Heureusement pour moi, je me suis servi ma vodka avant… Je n'en aurai plus eu la force après ça se dit Alban. Il jouit de l'instant. Le regard au loin, sa vodka à la main et sa chanson dans les oreilles, d'un son d'une pureté… Il rejoint sa femme de surcroît, il jouit. La vie est belle, surprenante, incroyable même. « C'est ça la vie » se dit-il, puis se reprend tout à coup « C'est donc ça la vie ? Wow… » Les signaux… le docteur Del Piero… Les manifestations et tous ces trucs plus dingues les uns que les autres. Il en parlerait à sa femme, c'est sûr, pas ce soir non, mais il lui en parlerait. « Rien à foutre du secret défense, pas avec elle ». Il regarde dehors. Des lampadaires, des arbres, des lumières, de la vie. Partout, de la vie. « Oui, la vie est partout ».

J'aurais voulu être un artiste !

Pour pouvoir faire mon numéroooooooo ! Quand l'avion se pose, sur la piiiiiiiiste ! À Rotterdam, ou à Rioooooo !

À Rotterdam, ou à Rioooooo !

« Oui… la vie est partout sur terre comme dans l'univers ». Des centres commerciaux ouverts malgré l'heure, des parkings pleins, des fast-foods, des stations-service, des voitures à profusion, des cinémas et des files d'attente, des restaurants, des groupes de jeunes écoutant de la musique et dansant, des enfants marchant avec leurs parents sortant leur chien et courant devant eux, des cyclistes faisant une balade nocturne dans le parc… « Le parc ! »

— Nous allons faire un détour par le parc.

Boris semble surpris et regarde Alban dans le rétroviseur. Celui-ci a crié cette demande soudaine d'une telle force, couvrant même la chanson, qu'il ne discute pas. Il met le clignotant puis prend la petite bretelle menant à l'entrée du grand parc.

Parvenus là, il se retourne vers Alban, toujours le regard à l'extérieur.

— Monsieur ?

— Plus profondément dans le parc s'il vous plaît. Prenez les petites routes qui le traversent, jusqu'au cœur du parc.

La vie disparaît petit à petit, et Alban, toujours le regard à l'extérieur laisse désormais parler son imagination :

« Les fleurs, l'art, le sport et son fair-play, la musique, l'art encore, les enfants et leur innocence, la gentillesse, l'envie de savoir d'où l'on vient, ce besoin de savoir d'où l'on vient ».

— Monsieur ? Nous sommes au centre du centre du parc ici… Cela vous convient-il ?

— Très bien Boris, merci. Pouvez-vous m'attendre quelques minutes ?

Alban descend de voiture puis disparaît dans le bois dès les premiers arbres. Il marche lentement mais semble savoir où il va.

« La beauté de notre planète, ses paysages à couper le souffle comme à Bora Bora, les Australes et le grand Canyon… »

Alban arrive dans une clairière au milieu du petit bois. Un espace à peu de choses près carré, et d'environ cent mètres de côté. Pas de lumières. Pas de bruits non plus. Il marche maintenant vers son centre puis s'allonge une fois arrivé. Un magnifique ciel étoilé s'offre à lui. Il le contemple tout en repartant dans ses songes…

« La beauté de notre planète, oui. L'île de Pâques et son mystère, les grands espaces canadiens, la forêt Amazonienne, sa faune, sa flore, et… le malin plaisir que nous prenons à tout bousiller. Nous, les humains. »

Alban a reconnu les constellations au premier coup d'œil. La Grande Ourse, Orion… il tente d'en repérer d'autres puis repart comme happé par cette force, cette puissance qui le pousse à réfléchir : « Le malin plaisir que nous prenons à tout bousiller, tout détruire, tout brûler, la guerre, les guerres, l'argent roi, la famine dans le monde, le travail des enfants, la prolifération nucléaire, l'indifférence des bobos et des bien-pensants face à tout ça, la sienne finalement, la pollution et les guerres encore. Les guerres. Encore. Les guerres toujours. »

Il aperçoit Cassiopée, toujours couché sur les herbes folles et loin du gazon impeccablement tondu par les employés du parc. Son regard s'attarde sur elle, plus particulièrement sur une étoile qui la compose, même s'il ne la distingue que très peu. Cette fameuse étoile d'où a été émis le trente-deuxième signal de son désormais nouvel ami. « Où te caches-tu petit chenapan ? Sur le trente-deuxième parallèle ? Fous-toi de ma gueule… Tu fumes un gros pétard quelque part là où on ne t'attend pas, ouais ! »

— Monsieur ? Tout va bien ?

Boris pointe le faisceau de sa lampe torche sur le visage d'Alban. Ébloui, il se cache les yeux de ses mains.

— Tout va bien mon ami, je voulais prendre l'air un moment, seul.

— Il est déjà tard, et... Je m'inquiétais. Je me disais que votre femme devait s'inquiéter aussi, et...

— Vous avez raison. Merci Boris. Allons-y.

Tous deux repartent en direction de la voiture sans un mot. À peine rentré et le contact mis, le tube « So Ruff, So Tuff » du chanteur funk Roger Troutman vient faire trembler l'intérieur de la Cadillac l'espace d'un instant. Boris s'empresse de baisser le volume de la radio, puis se retourne vers Alban avec un petit sourire aux lèvres :

— Désolé... Je vous ai attendu en musique.

— Remettez ça, j'adore !

— Ah oui ? Je suis un grand fan de Roger Troutman, vous savez. Je suis allé le voir au Mozinor, la grande salle de concert à Chicago.

— Et ça vous a plu ?

— À votre avis ? lui répond Boris avec un sourire en coin.

— Vous arrivez à prendre du plaisir quand vous le voulez ? Je veux dire, rien ne vient parasiter vos plaisirs, votre vie, des pensées de... des culpabilités par exemple ?

— Culpabilités ? Je serais coupable de quoi ? où voulez-vous en venir ?

— Vous n'êtes coupable de rien, non, enfin pas plus que moi

— De quoi serions-nous coupables ? Moi j'ai rien à me reprocher en tous cas. Et vous ?

Alban a en tête l'idée de lancer une discussion, un genre d'échange sur tous les maux de la terre, et la responsabilité que chaque humain devrait porter en lui.

— Ne prenez pas ça pour vous Boris, là où je veux en venir, c'est que nous sommes tous responsables de notre sort.

— Je suis heureux, moi. Je suis responsable de ça. Si j'en suis là, c'est que je l'ai voulu.

— Moi aussi si j'en suis là c'est que je l'ai voulu, mais ce n'était pas ma question.

Boris ne répond pas cette fois-ci. Il avait une nouvelle fois baissé le volume dès le début de l'échange et semblait maintenant attendre qu'Alban l'éclaire, même s'il comprend, et ce depuis le début où il veut en venir. De plus en plus même.

— Pensez-vous qu'un SDF ait choisi sa vie comme vous la vôtre ? Encore une fois, ne prenez rien de ce que je dis pour vous. Quand je disais que nous sommes tous responsables de notre sort, je parlais de l'humanité en général.

— J'ai un ami, enfin un ami d'enfance que j'évite maintenant. Nous étions tous deux à l'école ensemble, et nous passions le plus clair de notre temps libre à jouer ensemble aussi. Nos parents se connaissaient bien, en fait nous étions voisins. Nous sommes partis en vacances ensemble plusieurs fois aussi, et ce jusqu'à la fin de nos études, je veux dire, avant l'université. Il était mauvais en classe. Il l'a toujours été. Il n'était pas bête, non, juste fainéant. Quand je suis parti à l'université, il s'est engagé dans l'armée, il n'avait que ça à vrai dire. Après un premier contrat de trois ans, ils ne l'ont pas renouvelé. Il n'avait pas grandi. Il est resté le petit garçon insouciant qu'il était lorsque nous étions en primaire et n'a jamais évolué depuis. Ses parents et sa famille en général étaient pourtant aisés et il n'a pas souffert de… manque d'amour, de repère ni quoique ce soit, non. Bref, il avait tout pour réussir sa vie. Aujourd'hui, il est SDF. Il a voulu sa condition, du moins, il n'a pas pris conscience qu'il s'y dirigeait tout droit à l'époque.

Même ses parents ne veulent plus le voir. Alors oui, il a ce qu'il mérite.

— Cela vous satisfait-il ? Je veux dire, lorsque vous y repensez, ressentez-vous un sentiment de justice là-dedans ?

— Quand même, oui. Il y a au moins une logique en tout cas.

— Pensez-vous que cette logique est valable pour tous les SDF de ce pays ? Boris réfléchit, voyant le piège se refermer sur lui :

— Non, certains n'ont pas eu de chance du tout.

— Précisément. Imaginez-vous une chose, un instant : ce qui fait la différence entre un homme qui a réussi sa vie, et un autre qui vit dehors sans le sou, c'est justement l'argent. Maintenant, réfléchissez à ça : si tous les hommes avaient les mêmes chances au départ, et que tous ces hommes accèdent à votre niveau de vie : comment pourrait-on faire la différence entre ces hommes ? Les mêmes voitures neuves et chères, alors… La couleur peut-être ? Les mêmes vêtements hors de prix et de tendances ? La mode n'existerait probablement pas. Là où je veux en venir, c'est que votre chance à vous, si vous pouvez profiter pleinement de votre agréable vie, car je l'imagine aisée… enfin, travailler au ministère, on ne fait pas ça pour le salaire minimum, quoi. Votre chance à vous, c'est qu'eux n'en aient pas eu. Il n'y a pas de place pour tout le monde dans ce monde, enfin, si l'on veut se démarquer par l'argent. Une petite question à laquelle j'aimerais que vous répondiez maintenant : qu'est-ce qui fait que même ici, un SDF se retrouve à l'hôpital lorsqu'il se casse un bras, tombé ivre mort sur le trottoir ?

— Nous avons un système qui les protège, qui protège tout le monde, eux aussi.

— Et vous, vous trouvez ça normal ?

— Bien sûr. Je paye même des impôts pour ça, et je les paye volontiers. Personne ne devrait rester dans la rue avec un bras cassé et... Oui, je vois où vous voulez en venir...

— Transposez ça à l'échelle planétaire maintenant... Le gamin en Afrique qui souffre de malnutrition par exemple, lorsqu'il tombe dans le coma, où est l'ambulance ?

— Ça me fout les boules oui, mais je ne suis pas responsable.

— En tant que Canadien et vivant dans un pays soi-disant civilisé, déjà ça se discute, mais en tant qu'humain ?

Boris ne répond plus. Il garde ses mains sur le volant, et semble tout à coup découvrir que celui-ci est en cuir. En cuir quand d'autres, plus simples, sont en matière moins noble.

— Je vous repose la question : avez-vous pris du plaisir lors de ce concert ?

— Vous en auriez pris vous-même lance Boris d'un air agacé

— Oui, et c'est précisément là où je veux en venir : l'humain ne se souci que de lui, pas de l'humanité. Jamais.

Alban détourne son attention à l'extérieur en s'enfonçant dans le confortable fauteuil.

— Allez, mettez ce Roger Troutman à fond les ballons ! Je vous l'ai dit, je suis fan.

La Cadillac reprend la voie rapide sans plus de mots, ni de l'un ni de l'autre, et après le Funk viens Mickaël Jackson et son tube « Thriller ». Le vert intermittent du clignotant sur le tableau de bord vient sortir Alban de son demi-sommeil. Un coup d'œil maintenant sur le panneau routier. « Ville Mont-Royal ». Il n'a jamais été aussi prêt de retrouver Célia. Ça y est, c'est terminé. Retourner au ministère demain n'est pas une suite, non. Retrouver sa femme ce soir est bel et bien la fin de toute cette histoire. Il se décolle de son siège, un peu engourdi. Il pose la mignonnette vide sur le siège à sa droite puis prend un chewing-gum dans le mini bar. Il redécouvre avec plaisir les rues du très prisé quartier où il habite, comme s'il l'avait quitté il y a plusieurs années sans avoir la certitude à l'époque d'y revenir un jour. La Cadillac tourne finalement sur Davon Avenue puis vient se garer devant sa maison. De la lumière dans le salon, pas de silhouette apparente.

— À demain Boris ?

— Non monsieur, je ne suis pas de service demain.

Alban se demande l'espace d'un instant si cette information lâchée d'un ton monocorde n'a pas un rapport avec le terrain glissant sur lequel il l'a emmené tout à l'heure.

— Demain, ce sera Remy. On le surnomme « la mouche » ou bien « Dumouchel »… Vous lui demanderez pourquoi… Très sympa aussi, ne vous inquiétez pas. Nous étions ensemble au service militaire.

— Je n'ai jamais dit que vous étiez sympa… Mais je l'ai pensé très fort en revanche !

Boris lui tend maintenant la main entre les sièges et Alban la serre sur le champ.

— Je me souviendrai de vous, monsieur.

— Pas moi ! Vous vous appelez comment ? Je veux dire, votre nom de famille ?

— Hommage.

— Eh bien… prenez soin de vous, M. Hommage.

Il est au début du chemin pavé, le petit chemin qui mène à la porte d'entrée en traversant une parcelle de gazon. Gazon impeccablement tondu. Les jardiniers ont fait leur boulot pendant son absence. Il s'avance maintenant, et déclenche la lumière automatique, puis aperçoit une ombre se lever dans le salon. Pas le temps de poser sa main sur la poignée que la porte s'ouvre sur Célia qui lui saute au cou. Une étreinte sans paroles de quelques instants, elle le serrant de toutes ses forces, et lui cherchant son visage pour l'embrasser.

— Alors ? Ce vol retour en première classe ?

Elle l'enlace de plus belle et avec force, puis cette fois-ci leurs bouches se trouvent pour ne plus se quitter pendant un long moment.

— Viens voir.

Elle se positionne derrière lui et lui cache les yeux de ses mains. Ils avancent vers le salon, puis sans se retourner, elle referme la porte d'entrée de la jambe. Elle stoppe leur marche sur un « voilà ! » et en lui rendant la vue.

Une toile de deux mètres sur trois est posée contre le mur. Alban est époustouflé : « Elle a fait ça en deux jours ? ». La terrasse de leur luxueux appartement de Bora Bora vu du début de celle-ci, avec la nuit en contre-plongée. Elle a peint Alban de dos et debout, les mains posées sur le muret du fond et la tête levée vers les étoiles. Des étoiles par milliers. Il regarde sa femme, émue :

— C'est magnifique mon amour.

Il s'attarde sur les étoiles, et constate que celles-ci ne sont pas placées de façon anarchique. Des constellations, bien reproduites, avec précision même. Bluffant d'exactitude. Il regarde encore sa femme puis lui pose une question :

— Tu connaissais bien les constellations ou t'as regardé sur un bouquin ? J'veux dire, c'est exactement ça, leur positionnement les unes par rapport aux autres…

À bien y regarder encore une fois, il n'y aurait que quelqu'un comme lui pour faire une si parfaite reproduction du ciel astral. Tout colle.

— Qu'est-ce que tu crois ? J'ai laissé parler mes émotions comme tu me l'avais dit... Tu te souviens ? À l'aéroport de Los Angeles...

Alban répond par un « Oui... » Une constellation plus que les autres le bouleverse, surtout par sa position sur le tableau. Ce ne peut être un hasard. Bien au milieu, en reine. Voilà la seule chose qui cloche. Elle se trouvait au niveau de l'horizon lorsqu'ils y étaient. Elles n'en restent pas moins toutes éloignées avec une infinie précision mathématique.

— Et Cassiopée ? Pourquoi elle est au centre ?

— Je sais pas. J'ai laissé parler mes émotions encore une fois.

— Tu m'étonneras toujours.

— Ça aussi on en a déjà parlé. C'est pour ça que tu m'aimes.

Ils se lancent à nouveau dans une interminable étreinte, mais cette fois-ci, Alban semble prendre les choses en mains, suivi par sa femme.

À trois heures du matin, Célia se réveille et constate qu'elle est seule dans le grand lit. Un coup d'œil en direction du couloir où la porte de la chambre légèrement entrouverte laisse entrer la lumière, puis elle se lève. Elle s'entoure d'un drap à la taille puis se rend dans la cuisine, où encore une fois la lumière est mise en marche. Alban est là, debout, appuyé sur la table, mangeant un yaourt. Deux autres pots vides sont posés sur l'évier.

Il suit Célia du regard en se figeant, sa cuillère dans la bouche. Des yeux ronds, surpris, comme un enfant pris en flagrant délit en train de faire une bêtise et pour laquelle il n'a pas d'excuses.

— T'as faim mon amour...

— J'ai quasiment rien mangé depuis que je suis parti de Porto Rico. J'ai la dalle, ouais. Et hier soir, bah tu m'as pas laissé le temps de te le dire...

— C'était comment là-bas ? Le boulot ? C'est toujours secret même pour moi ?

— Non, pas pour toi en tous cas, mais si je te parle après je suis obligé de te tuer… Pfoo… J'ai tellement de choses à te dire, et je ne sais même pas si tu vas me croire.

Célia laisse tomber le simple drap qui lui servait de vêtements et s'approche d'Alban, puis l'enlace tendrement en venant blottir sa tête contre sa poitrine.

— Alors, parle-moi au moins de ce Christophe Colomb galactique tu veux bien ?

— J'ai personnellement rencontré un de ses moussaillons.

Célia a un petit sursaut, puis dans un mouvement de recul regarde son mari avec un visage grave.

— Tu te fous de ma gueule ? Je croyais que c'étaient des signaux ? T'as rencontré qui ?

Vous avez rencontré des… ? T'es sérieux là ?

Alban la reprend dans ses bras, la forçant même un peu.

— Viens, on va dans le salon

Il la prend par la main et l'entraîne avec lui. « Trois heures du matin ? Rien à foutre. Secret défense ? Rien à foutre ». Il la porte maintenant puis la dépose sur le canapé et retourne dans la cuisine. Il en revient avec le drap qu'elle avait laissé tomber, une idée derrière la tête, avant qu'il ne lui coupe la chique. Il la recouvre maintenant avec, et s'assoit sur le fauteuil en face. Les mains jointes, il la regarde.

— N'aie pas peur mon amour. Ne crains rien.

Il accompagne cette répétition d'un sourire. Il commence à lui raconter l'histoire depuis le début, lorsqu'il était avec elle à l'aéroport de Los Angeles, et qu'elle ne connaissait pas encore les tenants et aboutissants, qu'elle ne percevait pas encore l'importance capitale de toute l'histoire. Au fur et à mesure, elle comprend et il le voit, il voit aussi ses craintes s'effacer de ses traits. Et tout y passe, toujours sans rien tourner en dérision mais riant quelquefois de sa propre histoire qu'il raconte comme un enfant, un enfant qui raconterait à sa mère sa journée d'école pendant laquelle un fait mémorable ce serait passé chaque heure, chaque minute, et elle comprend. Oui, son visage non seulement s'illumine mais se détend, comme le ferait dix années de crème antiride. Le temps n'est rien, oui, il lâche maintenant cette information, ce message caché qui ne l'est pas tant que ça en fait, et qu'il fallait comprendre par-dessus tout et avant les autres, M. Winkler et son cigare volant au-dessus de la forêt noire en 1965, même si elle était là lorsque ce fou leur a fait cette confidence, c'est vrai, il lui assure, c'est la vérité, qu'elle n'en doute pas car lui n'en doute plus, le cœur qui a disparu en France, les F16 puis les F14, le Champagne puis le 747 en stationnaire au-dessus du porte-avions, le pacifisme, puis les constellations, le radiotélescope et le soleil l'illuminant de ses rayons matinaux, Adriano et le trente-deuxième parallèle, Adriano et peut-être des dreadlocks quand il était jeune, probablement même, le variomètre du Lear jet avec Larry, la Cadillac et la vodka, le parc et la lampe torche de Boris, Starmania et le Premier ministre, Adriano et sa provenance dans la galaxie…

Célia reprend :

— Au fait, c'est laquelle alors son étoile, celle de ton pote Adriano ?

Il est 6 h 37 et le soleil se montre timidement. Cela fait plus de trois heures qu'Alban raconte son histoire et répond aux questions de sa femme. Il reprend de plus belle.

— L'étoile d'Adriano ? N'aie pas peur mon amour. Ne crains rien.

Célia qui jusque-là était resté confiante, lâche un petit « ah… », comme inquiète de ce que son mari lui réserve pour la fin.

— Regarde ta peinture…

— Quoi ma peinture ?

— L'étoile d'Adriano, la provenance du trente-deuxième signal c'est bien ça ? C'est bien ça que tu veux savoir ?

Alban se lève devant sa femme qui retient son souffle. Il approche un doigt puis le pose sur une étoile de la constellation Cassiopée, une étoile impeccablement centrée au milieu de la peinture, comme fait exprès.

— Tu as laissé parler tes émotions ? Je suis sûr qu'il y a un lien. Cette étoile se nomme Achird, et elle est à 19 années-lumière de la terre. C'est la sienne, sa provenance. La provenance du 32e signal. Je t'aime mon amour. Tu m'étonneras toujours.

Celia le regarde et lâche après un court silence.

— Je suis enceinte.

La surprise laisse la place aux larmes de bonheur de l'un et l'autre, enlacés dans une étreinte interminable. La sonnerie de la porte d'entrée retentit. Alban ne tourne même pas la tête dans sa direction, il l'attendait. La récré est terminée. Alban s'y dirige en caleçon, Célia quant à elle, se précipite nue dans la chambre afin de mettre son peignoir. Lorsqu'elle revient dans le salon, l'hôte a déjà pris place sur le canapé.

— Bonjour monsieur, je suis la femme de… du docteur Tremblay.

L'homme se lève sur le champ, puis attend que celle-ci lui tende la main avant de lui offrir la sienne.

— Bonjour madame, je suis enchanté. Je suis désolé de vous déranger à une heure si matinale, mais… le docteur, enfin votre mari est attendu…

— Tout le monde attend mon mari, à commencer par moi.

Alban revient de la cuisine avec deux tasses de café fumant dans les mains :

— Voilà M. « la mouche », ou « Dumouchel »… C'est bien sous ces noms que l'on vous connaît ? Vous avez la chance d'avoir un ami et collègue de travail bien bavard, mais très chic type.

— Oui, nous parlons bien du même… Bavard comme vous dites. Il m'a d'ailleurs laissé une cassette que je dois vous mettre sur le trajet vers le ministère…

Alban sourit en s'assoyant en face de lui, puis se relève aussitôt.

— Je suis désolé, je vais vous demander d'attendre quelques petites minutes le temps pour moi de prendre une douche et de me faire beau pour aller voir votre patron, déjà que…

— Bien monsieur, je vous attends, et merci beaucoup pour le café aussi.

Après une douche brûlante comme il les aime, Alban regarde son dressing : cette fois-ci, des costumes pendus, tous plus sombres les uns que les autres, et des chemises blanches. Uniquement blanches. Il réfléchit, puis prend le pantalon le plus sombre et l'accompagne de la veste la plus éloignée en nuance. Il regarde maintenant sa valise, celle qu'il a laissée à l'aéroport de Los Angeles et que Célia a tout juste pris la peine d'ouvrir après son arrivée. Il la fouille et en ressort un sweat-shirt bordeaux. « À nouvelle ère, nouvelle tenue vestimentaire », sourit-il en s'habillant. Il rejoint sa femme et son chauffeur du jour, puis les interrompt :

— Tout beau tout neuf.

— Ah oui, quand même… Tu bosses dans une agence de pub aussi ? Je suis prête à tout entendre désormais !

Alban s'approche d'elle en souriant, puis l'embrasse sans fougue cette fois-ci, sachant qu'ils sont observés. Elle accompagne son petit bisou d'une main caressant son visage.

— Tu reviens quand ?

— Vite. Enfin, oui… Dans la journée. Ne t'inquiète pas.

C'est encore avec Starmania, condition laissée à « la mouche » par Boris que la Cadillac reprend le chemin en direction du ministère. Un volume cette fois-ci acceptable permet à Alban de le couvrir sans trop donner de la voix :

— Pourquoi cette histoire de mouche pour votre surnom ?

Remy lui répond sans détourner le regard de la route, un petit sourire en coin :

— Eh bien, nous nous sommes connus à l'armée, et j'étais très bon en tir. Je faisais « mouche » à chaque fois, et j'ai fini tireur d'élite.

— Ah oui quand même… Le meilleur, m'a-t-il dit.

Alban tente de voir si ce nouveau gorille est aussi enclin à l'autosatisfaction que Boris.

— Non, le meilleur, c'était un autre. Un autre ami que nous avons en commun, Mathieu. Et lui son surnom, enfin il s'appelle Levasseur, mais on l'appelle « les valseuses »…

Alban rit « ça ira, je crois que j'ai compris ». Il se demande alors si tous les hommes rient sur cette planète. « Sûr que non… ». Ce qu'il ramène par-dessous tout de cette folle expérience, c'est la compassion. Tout lui semble injuste désormais : rire, prendre ces petits plaisirs futiles, d'autres plaisirs plus importants comme avec sa femme cette nuit, manger à sa faim, être à l'arrière d'une Cadillac chauffée en hiver et climatisée en été, avoir un mini bar à sa disposition, un téléphone… La sonnerie vient justement le sortir de sa réflexion au moment même où il regardait le combiné. Il le décroche sans même hésiter, ayant pris l'habitude de tout ça. « Un téléphone de voiture ? Oui, ça colle avec mon importance aux yeux de plein de gens importants eux aussi, à commencer par le Premier ministre lui-même. ». Il approche l'appareil de son oreille sans trembler puis prend la parole :

— Oui ? Bonjour Bertrand.

— Vous voilà en route, très bien très bien…

— Vous aviez peur ? Peur que je ne vienne pas ? Ma foi, je ne raterai cette journée pour rien au monde, à moins que… Auriez-vous des informations importantes ? si importantes au point de ne pas pouvoir attendre que je sois au centre ?

— Non non, nous vous attendons.

Alban commence à réfléchir aussitôt le combiné raccroché. Il s'attend encore à un revirement. « Encore un truc à raconter à ma femme ce soir, se dit-il. Ce soir, enfin… J'espère putain… J'espère qu'on ne m'envoie pas ailleurs encore une fois ». Le fait que Bertrand ne lui parle ni de valise ni de passeport le soulage quelque peu. Ils ne sont qu'à dix minutes du ministère désormais, alors il se prépare, non pas en ajustant sa tenue qu'il a voulu de toute façon décontractée, mais mentalement. Un épilogue peut-être. La Cadillac s'arrête devant la barrière. Un garde en fait le tour, comme hier, puis fait un signe de main à l'autre dans la guérite qui actionne son ouverture, comme hier. Ils arrivent devant l'entrée du ministère où l'attend Bertrand, comme hier. À peine sortis de la voiture, les deux hommes se saluent. Bertrand sourit. Pas comme hier. Un sourire et un petit hochement de tête avec un « Oui » aux lèvres pincées.

— Ils se fichent du temps disiez-vous ? Voilà ce qu'il fallait comprendre ?

Cette fois-ci, c'est sûr. Une nouvelle capitale vient d'arriver, mais elle fait sourire Bertrand. Celui-ci s'efface d'un coup pour un visage plus grave, et Alban rétorque :

— Quoi ? Oui, c'était mon ressenti, le temps est le message le plus clair de tous…

— Le temps, ils s'en fichent. Oui, vous aviez raison, car… Ils le maîtrisent.

Alban est happé par la gravité de la nouvelle : « Wow… » Il emboîte le pas à Bertrand qui a lâché cette nouvelle en tournant les talons, et c'est en silence qu'ils se dirigent maintenant vers la grande salle de conférence, celle-là même où il a fait une crise d'angoisse il y a moins de vingt-quatre heures. Arrivé dans le cadre de la grande porte, tous sont là, sans exception. Les mêmes qu'hier, et comme hier ils semblent encore une fois l'attendre. Le Premier ministre l'accueille :

— Ah, bonjour Docteur. Prenez place.

— Bonjour M. le Premier Ministre, et…

Alban n'a pas le temps d'aller plus loin. Bertrand assis à sa gauche le coupe.

— Tout d'abord, les manifestations semblent… Enfin, toutes semblent pour l'instant et d'après les informations qui nous parviennent, retrouver un aspect… normal. Aucun des sujets, aussi, ne se souvient de ce qui s'est passé. Nous sommes toujours sans nouvelles des quatrième et trente-deuxième manifestations en revanche. Maintenant, nous sommes en relation avec le centre Arecibo, et les autres centres du monde aussi, et… Nous avons déjà une réponse à la nôtre, enfin, nous interprétons pour l'instant ce message reçu cette nuit comme une réponse à la nôtre.

Alban est stupéfait. Il fait un tour d'horizon, regardant la plupart des visages : quand les généraux eux-mêmes semblent inquiets, les scientifiques qu'il connaît tous, au moins de nom, ont la même expression que Bertrand lorsqu'il l'attendait sur le perron du ministère. Bertrand va plus loin :

— 3 messages en tout, provenant de la fameuse étoile que vous considérez comme la plus évoluée. Le premier signal a duré une seconde, sa signature, puis dix minutes plus tard, un deuxième signal de soixante-quatorze secondes, la nôtre, puis un dernier signal d'à nouveau une seconde, encore dix minutes après. Bref, notre signature au milieu de la leur, comme s'ils en prenaient acte.

Alban questionne :

— Vous voulez dire… Enfin, cela implique qu'ils aient reçu notre message… Et qu'ensuite… ils nous répondent ? Ce qui aurait dû prendre plusieurs milliers d'années au bas mot, entre le temps qu'il aurait fallu à notre message pour leur arriver, et qu'ensuite leur réponse nous parvienne… Tout cela n'a pris que moins de quarante-huit heures ?

— C'est bien ça. Ils maîtrisent le temps.

Alban se lève lentement et commence à marcher de long en large autour de la table. La prise de parole du Premier ministre ne lui fait même pas lever la tête, et il continue à marcher, il continue tout en l'écoutant attentivement.

— Docteur, vous comprenez bien que dans cet ultime rebondissement, nos inquiétudes qui jusque-là pouvaient s'apaiser, nos craintes se renforcent. Non seulement ils maîtrisent une technologie bien supérieure à la nôtre, ensuite ils se manifestent partout dans le monde par le biais d'êtres humains, et maintenant nous apprenons qu'ils maîtrisent le temps. Voilà un message d'une grande importance qu'ils nous font parvenir dans ce dernier signal.

Il laisse Alban continuer à arpenter la grande salle de conférence sans plus de mots. Il le regarde, marchant d'un pas toujours aussi lent et semblant réfléchir comme si encore une fois il pouvait trouver la clé. Il s'arrête et s'adresse directement au Premier ministre :

— Soit, ils le maîtrisent… Ce pourrait être effectivement leur message. Mais je pense que non, nous faisons fausse route. Je pense que…

— Oui ? Nous vous écoutons ?

— Je pense que nous devons anticiper l'avenir de l'humanité, voilà leur message.

— Je vous demande pardon ?

— L'astrophysicien vous dirait que oui, tout concorde dans la thèse qu'ils maîtrisent le temps, mais je vais vous parler en homme : je pense que nous devons prévenir l'épuisement de nos ressources, les conséquences futures de nos actes, de nos guerres, de leurs effets à long terme sur la planète et l'humanité. Ils veulent nous faire réfléchir sur la notion d'anticipation. Anticipez, anticipez… Oui c'est bien ça ce message. Anticipez les amis. Nous devons anticiper comme ils ont probablement anticipé leur réponse. Oui, ils ont anticipé ce message. Ils nous l'ont envoyé il y a plusieurs centaines d'années, sans savoir que nous allions leur répondre. Ils ont anticipé notre réponse. Ils ne maîtrisent pas le temps, ils l'anticipent. Ils se fichent du temps, ils n'en ont pas peur. Ils l'anticipent. Ce message, vous pensez qu'ils viennent de nous l'envoyer ? En réponse au nôtre ? Non. Ils nous l'ont envoyé il y a plusieurs centaines d'années. Ils ont donc devancé notre réponse.

Tout le monde dans la salle se regarde sur cette déclaration d'Alban. La plupart des visages s'éclairent, sauf ceux des militaires. Tous les scientifiques se lèvent désormais. Ils imitent Alban dans sa déambulation, sans le suivre, chacun de leur côté. Ils marchent, pensent, réfléchissent et se croisent sans se parler, sans anticiper leur trajectoire et manquant même de se télescoper, en pleine méditation.

***

En ce matin du 14 février 1987, le soleil est de la partie sur la plage privée de l'hôtel St Régis de Bora Bora. Alban déplie sa serviette à côté de sa femme déjà couchée. Une fois allongés, ils se regardent tendrement dans un long sourire. Célia est sur le dos, son ventre de plus en plus imposant ne lui permettant plus désormais d'autres positions.

— Je t'aime mon amour.

— Moi aussi mon amour.

Alban appuie sur le gros bouton du radiocassette :

« J'ai du succès dans mes affaires, j'ai du succès dans mes amours, je change souvent de secrétaire…

J'ai mon bureau en haut d'une tour, d'où je vois la ville à l'envers, d'où je contrôle mon univers… »

Alban ferme les yeux.

« D'où je contrôle mon univers ? Non, dans ce bas monde, personne ne contrôle quoi que ce soit à son sujet. »

Chapitre 2
L'enquête

De ce qu'un fait vous semble étrange, vous concluez qu'il n'est pas. Ce qui est puéril, c'est de se figurer qu'en se bandant les yeux devant l'inconnu, on supprime cet inconnu.

Victor Hugo

Livia sent son stress monter en intensité à chaque station dépassée. Elle qui avait pris place dans ce métro plutôt joyeuse et excitée, se sent de plus en plus plaquée au petit siège rembourré au fur et à mesure que la rame la rapproche de son frère, et inexorablement de son destin. Il faut dire que dans la famille, tout le monde est passé par là. Tout le monde a eu son premier jour. À commencer par son grand-père, ce grand nom de la profession, celui qui a ouvert la voie. Tous se doivent de faire honneur à ce nom si difficile à porter parfois, mais très pratique pour trouver un premier emploi, comme si les portes s'ouvraient automatiquement aussitôt après vos études. « Vous êtes de la famille Pereira ? C'est dans les gênes, ça, vous ferez un grand reporter ». Un regard furtif sur le nom de la station affiché en grand sur le quai, puis les portes de la rame se referment. « Mince, c'était là ! ». Livia ouvre son sac à main pour y plonger la main, retournant tout à l'intérieur comme s'il s'agissait de boules de Bingo à mélangées puis en sort son téléphone. Elle pianote lentement à un doigt sur le clavier alphanumérique puis le pose sur la banquette en soufflant d'agacement. À vingt et un ans, à l'âge où n'importe quel jeune s'adapte facilement aux nouvelles technologies, Livia peine à se servir de son nouveau téléphone portable, objet pourtant indispensable maintenant qu'il existe, d'autant plus pour son nouveau métier de journaliste.

Quatre septembre 1996, 9 h 37. Livia est en retard. Elle a rendez-vous avec son frère pour un café avant qu'il ne l'intronise au journal « Lisbonne Minute ». Après avoir repris le métro en sens inverse pour revenir à la station Alameda, elle s'engouffre dans l'escalier qui la ramène à la lumière du jour et aux bruits de circulation. Elle accélère sa marche jusqu'au bar de l'autre côté de la rue et aperçoit son frère installé en terrasse.

— Putain de métro, ça ralentit toujours quand t'es pressé.

— Tu ne pouvais pas envoyer un message ?

— Si mais le réseau passe mal en dessous tu sais bien.

— Ça y est, t'as plus de problème avec ton téléphone ? Envoie-m'en un pour voir…

— J'ai du mal avec les touches, c'est vrai, il me faut une plombe pour écrire « salut ». Mais à part ça c'est bon.

Livia se baisse et embrasse son frère sur la joue en l'enlaçant par le cou avant de s'asseoir en face de lui.

— T'es prête ?

— Oui, je suis à fond.

— Là, tu vas aller voir Jonathan Da Silva directement, c'est le rédacteur en chef. Il est très cool tu verras, et il va te donner un truc tout de suite, pas un gros boulot, mais un dossier d'une semaine ou deux, alors attends-toi à ce que ça jase dans ton dos, parce que y'en a qui bossent là depuis dix ans et ils font toujours des petits papiers de merde, comme sur l'école qui fait travailler ses élèves sur ordinateurs ou le fleuriste bobo qui importent des plantes du Brésil, enfin des conneries du genre. Toi tu vas passer à l'enquête directement, avec la bagnole de fonction et les frais de déplacement…

— Ah ouais, la « placée »… ça va être écrit dans mon dos que j'emmerde tout le monde parce que je suis une Pereira ?

— Il faut que tu apprennes à vivre avec ce nom ma chérie, mais c'est plutôt sympa non ? De toute façon, tu n'es là que pour 6 mois, il te faut juste quelques articles et tu me rejoins à la rédaction d'Alicidas. Tu verras, tu vas bien apprendre ici, et t'amuser aussi.

Livia commande un café tout en écoutant Alberto parler. Elle qui aime l'aventure sera servie à coup sûr. Mais comment aborder sereinement une carrière quand tout le monde attend de vous l'excellence dans la moindre tournure de phrase de chacun de vos articles, et ce dès vos débuts alors que vous n'avez comme gage de professionnalisme qu'un nom sur une carte d'identité ? Et si elle était l'exception de la fratrie, celle par qui ce nom perdrait en crédibilité au point de priver la descendance familiale de toutes ses facilités ? Un café ? Tu aurais dû prendre un Gin lui souffle une petite voix.

— Tu m'écoutes ? Parce que là t'es ailleurs.

— Je t'écoute, je me disais juste qu'on attend beaucoup de moi, alors que je sors tout juste d'école. Là-bas, il a fallu que je me cogne les réflexions de ceux qui, mêmes s'ils ont obtenu de meilleurs résultats que moi à leur examen final, devront eux, se taper au début de leur carrière des articles de merde comme tu dis, enfin, pour ceux qui auront la chance de trouver un premier boulot !

— Tu culpabilises ?

— Un peu oui.

— Alors, laisse-moi t'expliquer quelque chose. Tout d'abord, beaucoup de gens veulent devenir journalistes. Beaucoup trop, et il n'y a pas de place pour tout le monde. Un bon journaliste est un journaliste expérimenté, donc tu peux avoir les meilleures qualités, les meilleures prédispositions pour le métier, si tu ne sais pas reconnaître le détail qui fera la différence entre un article bidon et un pur papier, tu n'iras pas loin. L'expérience t'apprend où trouver ce détail, où le voir. Et même, le cas échéant, à le fabriquer de toute pièce. Je te le redis, il n'y a pas de place pour tout le monde dans ce métier. Les journalistes, même mauvais, qui ont la chance d'acquérir de l'expérience pondent de grands trucs après. Seulement voilà, je te rappelle que l'expérience n'est pas à la portée de tout le monde car il y a trop de monde. Laisse ton nom t'ouvrir les portes de l'expérience. Franchement, sers-toi de lui. Tu crois que les rédacteurs en chef ne se servent pas de ton nom ? Quand ils te donnent un boulot, un petit papier ou une enquête, quand bien même tu sors d'école et que tu n'es qu'une novice, tu crois qu'ils ne savent pas ce qu'ils font ? Ils le savent très bien va, t'en fais pas. Ils savent qu'au cas où, je suis derrière, que papa est derrière, papy aussi… En embauchant la jeune Pereira, ils embauchent la famille. Tu vas vite acquérir de l'expérience aussi, et ils le savent. Tu comprends ?

— Il s'attend à ce que ce soit toi alors qui fasses mon boulot, ou papa ? Oui, je crois que j'ai pigé.

— Non, mais s'il te demande de modifier la tournure de ton papier, et crois-moi, de la bouche d'un taulier ça veut dire « recommence-moi ça », eh bien tu me montres ton boulot. Y'a pas de honte à avoir, au contraire. L'école, c'est fini, maintenant tu vas apprendre le métier.

— Super. Ça s'est passé comme ça pour toi aussi ? Ah oui je suis conne, tu bossais avec papa dans sa rédac... Génial. Et je signe quoi à la fin de mon papier, enfin de ma grande enquête ? Pereira ou famille Pereira !

— Commences pas p'tite sœur... Crois-moi, tu as tout le temps de voler de tes propres ailes. Peut-être que cette enquête en sera l'occasion ? Va savoir ? Si y a rien à redire, y a rien à redire, mais je préfère te dire les choses avant que ce ne soit lui qui le fasse... si toutefois y'a des choses à dire.

Livia ne cache pas son agacement. Elle n'a cessé de dévisager Alberto pendant toute sa tirade, puis laisse finalement ses yeux regarder vers le côté ombragé de la terrasse. Mais un dernier sursaut, comme un éclair lui fait reprendre sa posture.

— Oh putain... Me dis pas que t'as déjà choisi le sujet pour mon enquête ?

— Je ne l'ai pas choisi mais je le connais. Tu vas faire une enquête dans les hôpitaux sur les fins de vie et les soins palliatifs, les E.M.I aussi, très intéressant tu verras.

— Les quoi ?

— E.M.I ? Ça signifie « expérience de mort imminente ». Ce sont des gens, enfin des patients et des accidentés qui ont été déclarés mort et qui à force de réanimation sont revenus dans le monde des vivants, et ils racontent qu'ils ont vu l'au-delà, enfin je sais pas quoi, mais des trucs de lumières... Mais tu apprendras par toi-même, c'est même toi qui auras la tâche d'expliquer ça aux lecteurs, à commencer par ton grand frère ! Mais attention, Livia, ce sujet est à traiter à la fin et n'est pas le principal, ne te barre pas là-dedans en oubliant le reste s'il te plaît.

— Et tu n'y es pour rien ?

— Absolument rien, je te jure. Jonathan m'a juste dit qu'il allait te filer ça, et si tu veux mon avis, c'est un sujet que beaucoup dans ta rédaction aimeraient traiter, alors un conseil, dis en le moins possible sur ce que tu fais à tes futurs collègues.

— Bien sûr, tu vas d'abord m'accompagner dans le bureau de ton pote Jonathan, le boss de mes futurs collègues, ensuite je vais ressortir avec les clés de ma bagnole de fonction et là, je vais me présenter à toute l'équipe ! Et lorsqu'ils me questionneront, je vais leur dire que je m'appelle Pereira et qu'on vient de me confier la lourde tâche de faire un peu de rangement dans la salle des archives et nettoyer la machine à café ! Ça va passer !

— J'aime quand tu fais ta chieuse ! t'es trop mignonne. Je ne serais pas ton frère, je…

Livia se lève en regardant son frère affectueusement puis empoigne son sac à main.

— Bon on y va ?

— Tu vois, tu commences déjà à te gourer ! Tu y vas toute seule ma chérie, comme une grande !

Les soins palliatifs et la fin de vie, sinistre pour un début de carrière. L'au-delà en revanche, même si ce n'est pas l'objet principal de la recherche, sera très excitant à creuser se dit Livia en traversant la rue. Elle qui n'a jamais caché son attrait pour l'ésotérisme compte bien en apprendre davantage sur la chose, ne serait-ce que pour sa culture personnelle. Dans les années 80 et alors qu'elle n'était qu'une jeune adolescente, elle avait lu un livre sur le sujet. « La vie après la vie » de Raymond MOODI, sorti dix ans plus tôt. Il y est expliqué que les âmes survivent aux enveloppes charnelles, et que certaines personnes ont pu explorer l'au-delà l'espace d'un instant à la suite d'un accident ou un coma. C'est en pensant à cela et en se disant qu'il serait bon de relire ce livre que Livia lance un cri d'effroi. Le crissement de pneus l'a fait virevolter d'un quart de tour sur sa droite, et c'est pétrifiée qu'elle regarde la voiture s'arrêter in extremis devant ses jambes, le pare-chocs lui touchant même le tibia. Le conducteur passe la tête par la fenêtre ouverte.

— Eh cocotte ! T'as pas peur de mourir toi ?

Elle reprend sa marche le cœur battant, s'excusant d'une main levée devant l'automobiliste et les cinquante pairs d'yeux des passants figés sur la scène. « Je suis en plein dans le sujet », se dit-elle. Depuis toujours, Livia est distraite, tête en l'air et désordonnée. Quand ce n'est pas un arrêt de métro manqué, c'est un rendez-vous oublié, ou plus fréquemment la perte de ses papiers et objets de toutes sortes. Elle ne se rend compte de l'importance de son trousseau de clés qu'une fois devant la serrure de sa voiture ou de son appartement lorsque celui-ci est introuvable. Dans la lignée des journalistes Pereira, si ce trait de caractère n'a non seulement rien à voir avec son père ou son frère, il a aussi le don de les agacer au plus haut point. En revanche, cela la rapproche de son grand-père, à qui la maladresse et les absences plus ou moins aventureuses lui ont valu plusieurs surnoms. Il discutait souvent de ça avec elle et lui racontait des anecdotes, comme de grosses blagues qui auraient pu mal finir mais qui finalement lui apportaient toujours un petit quelque chose en plus à la fin. « Si je n'avais pas perdu mon passeport ce jour-là, je serais directement rentré sans passer par l'ambassade pour qu'ils me fassent des papiers de sortie du territoire… Je pensais avoir perdu deux jours et finalement je suis toujours là et j'ai fait un scoop… Tu t'en rends compte ? » Elle qui n'entend pas rentrer dans le moule de la rigueur et de la discipline, s'identifie à son grand-père et se retrouve dans sa nonchalance. Elle n'aime ni l'autorité ni les lignes directrices, toujours à écouter cette petite voix qui d'après son père et son frère l'a plus souvent égarée que ramenée sur le bon chemin. Elle qui fonctionne au feeling sait qu'il faudra faire les choses de façon plus académique désormais, au détriment de l'aventure qu'elle apprécie tant.

Après avoir passé le hall d'entrée, quelques personnes attendent l'ascenseur. Des regards échangés, pour elle ce sera l'escalier qu'elle emprunte à la hâte. Ses futurs collègues pour sûr, et elle commence déjà à fuir, comme si elle ne comptait pas se mêler à eux par pur snobisme. Un homme lui barre la route dès les premières marches.

— Retourne-toi que je vois ton cul, tu veux ?

— Je vous demande pardon ?

— Bon, on va attendre un peu, mais je le verrai bien tôt ou tard... Sais-tu qui je suis ?

— Comme ça, je dirais un gros porc.

— En plein dans le mille ! Mais je suis un peu plus que ça, tu verras. Alors la petite Pereira marche sur les traces de papa et papi, quelle nouvelle mes enfants, quelle nouvelle !

Il se tient au milieu, écartant un bras, puis l'autre, à chaque tentative d'esquive de la part de Livia puis sur un ton moins narquois :

— Oh là là, je plaisante bien sûr... Qu'une jeune novice sortant d'école sois choquée je peux comprendre, mais toi tu as dû être briefée tout de même... dans toutes les rédac il y a des mots doux comme ça, des taquineries. Vois-tu, ce que l'on ne se permet pas d'écrire sort de la bouche, alors tant que cela reste entre collègues... Mais bon, ça viendra en son temps ! enfin j'espère.

Il lui tend maintenant la main avec un sourire tout à fait naturel.

— Jonathan Da Silva, enchanté de faire ta connaissance.

Livia, restée deux marches en dessous, est obligée de lever son bras au-dessus de l'épaule, puis une fois les paumes en contact, Jonathan retient sa main sans trop serrer la sienne.

— J'ai commencé avec ton grand-père, j'ai fait ma carrière avec ton père et j'ai vu ton frère débuter. Un café ?

Avec moins d'assurance, Livia le suit jusqu'à son bureau, tête baissée, surtout lorsqu'elle croise à nouveau les collègues à l'étage, ceux-là même qu'elle voulait éviter devant les portes de l'ascenseur. Tous la regardent suivre déconcertée celui qui sera probablement son unique camarade lors de son passage dans la rédaction de ce petit journal. Avec eux, il n'y aura pas de discussions devant la machine à café, ni de bouffes et sorties à plusieurs pour un concert, rien, pas même un ciné.

— Assieds-toi, je t'en prie.

Un grand bureau qui paraît propre à première vue, mais très vite, le bordel ambiant saute aux yeux.

Des chemises cartonnées ouvertes et à même le sol vomissent des documents. Au pied d'une bibliothèque, des livres entassés anarchiquement forment de hautes piles de près d'un mètre pour la plus grande, avec à l'intérieur de certains d'entre eux d'improbables marque-pages comme une cuillère à café ou une rose desséchée.

— Je vais être franc avec toi. Déjà, je connais la réponse, mais je te pose quand même la question : je t'ai choquée quand je t'ai demandé de me montrer ton cul ?

— Est-ce que tu demandes ça à toutes les petites nouvelles qui arrivent dans ta rédaction ?

— Non, pas tout de suite, seulement quand je sais qu'elles le prendront bien.

— Alors je ne bénéficie déjà pas de cette faveur. Pourquoi ? Sois franc, vas-y.

— Parce que tu t'appelles Pereira et que quoiqu'il se passe, très vite tu grimperas.

Livia lève un bras rageur en inspirant, mais Jonathan ne lui laisse pas le temps d'exploser.

— Parce que ton grand père me l'a demandé, parce qu'il croit en toi, et c'est parce que je le connais tellement mieux que toi que je sais qu'il a raison.

— Il a raison sur quoi ? Que t'a-t-il demandé ? Ce ne serait pas plutôt mon frère ? Je ne vois pas mon grand-père te demander d'être sec comme ça dès le début avec moi.

— Eh bien tu te trompes, mais, moi aussi j'ai des questions, celle-ci par exemple : tu tutoyais tes profs ?

— Je te tutoie parce que tu m'as tutoyée aussi, dès ta première phrase, et...

— Je vous demande pardon très chère ! Nous sommes partis sur de mauvaises bases, repartons à zéro d'accord ? Alors, madame Pereira, auriez-vous l'obligeance de me montrer votre cul ?

Livia perd de son agressivité et commence même à sourire, puis baisse la tête dans un gloussement qu'elle ne peut contenir.

— Qu'est-ce que mon grand-père t'a demandé ?

— Si tu veux tout savoir, rien du tout. Mais il t'a décrite comme étant sa véritable descendance en ce qui concerne le métier. Ton frère et ton père sont deux arrivistes qui portent son nom, c'est tout. Toi tu iras loin, beaucoup plus loin qu'eux, et crois-moi ce ne sera pas très difficile, et en tout cas ce ne sera pas grâce à son nom.

— Ça me sidère que tu me dises ça.

Jonathan veut se lancer à nouveau, mais Livia le coupe :

— Ça me sidère que quelqu'un me dise ça.

— Pourquoi ?

— C'est ce que j'ai toujours pensé. C'est la famille, d'accord, et je les aime comme je dois les aimer, ni plus ni moins, mais j'ai toujours fait la différence entre mon grand- père et eux.

— Lui aussi, il a fait la différence. Très tôt même. Tu n'étais qu'à peine préadolescente que j'entendais déjà, et de sa bouche même, que tu étais celle qui le relèverait vraiment.

— Mon frère m'a dit que j'allais travailler sur les fins de vie en hôpital, c'est vrai ?

— Oui, il m'a quelque peu forcé à le lui dire.

— Forcé ? L'idée ne vient pas de lui ?

— De ton grand-père. Et si tu veux savoir, ton frère a même tout essayé pour me faire changer d'avis. Ça n'avait pas l'air de l'enchanter de te voir parler de la mort avec de grands malades condamnés. Mais c'est surtout sur le point des « expérienceurs » que ça a coincé. Il a eu peur que tu ne te soucies plus que de cela et que tu occultes le reste.

— Les expérienceurs ? ce sont les fameux miraculés qui sont revenus de la mort et qui racontent leur voyage ?

— Qui racontent leur expérience, d'où le mot expérienceur. Utilisons les bons termes s'il te plaît, il n'est pas question de voyage dans l'au-delà, juste des expériences à prendre avec des pincettes, ou pas… Mais je te le rappelle et rejoints ton frère là-dessus, ce n'est qu'une partie de l'enquête qui doit non seulement arriver à la fin de ton papier, et surtout ne pas primer sur les autres sujets que tu devras aborder en priorité. Comme l'accompagnement des mourants, de leurs proches, ainsi que les traitements palliatifs, enfin les drogues qu'on leur refile pour alléger leurs souffrances. Là-dessus, je serai intransigeant, grand père ou pas.

— Et c'est donc mon grand-père qui t'a demandé de me mettre là-dessus ?

— Demandé ? Tu veux rire ! lorsqu'il est venu la semaine dernière pour me parler de ton arrivée à la rédaction il m'a carrément imposé sa volonté !

— Mais ce sujet devait être traité quand même ?

— Oui, mais par Lula, une de tes collègues qui attendait de travailler dessus depuis un bon moment.

— OK...

— Alors ne te ventes pas trop de ce que tu fais, ça va foutre la merde.

— J'ai déjà eu droit à cette mise en garde par mon frère, merci, mais à ce moment-là on pourrait peut-être bosser à deux là-dessus ? Si je vais la voir et que je lui propose ?

— On peut essayer, mais je ne te promets rien. Tous savent qui tu es ici, et Lula l'a mauvaise. Vraiment mauvaise.

— Je la comprends. À peine arrivée je lui pique le sujet qu'elle attend depuis des lustres. Je la comprends putain.

Livia fait un quart de tour sur une longue expiration puis attarde son regard sur les livres de la bibliothèque sans vraiment s'y intéresser.

— Je vais lui demander de bosser avec moi là-dessus, avec ta permission bien sûr, et puis je vais lui dire, enfin, lui expliquer que je n'y suis pour rien et que...

— Tu n'y es pour rien ? Le simple fait d'accepter le sujet qu'elle convoite depuis longtemps fait au moins de toi une complice, alors... ne la joue pas victime quoi. Moi je vais le lui demander. Assieds-toi, j'arrive.

Livia prend place sur une chaise sans quitter Jonathan du regard. Elle le suit jusqu'à ce qu'il franchisse le seuil de la porte qu'il referme derrière lui.

Toujours très pensive, ce serait une bonne chose si jamais Lula acceptait cette collaboration se dit-elle. Une collègue avec qui passer quelques moments de détente autour d'un café par exemple serait une épine ôtée du pied. Livia n'est ni solitaire ni attachée à ce statut de toute-puissance si bien établi. La chose qu'elle redoute est de n'avoir que son père, son frère et les rédacteurs comme seules personnes à qui parler dans le métier. Elle se relève maintenant puis se dirige à nouveau vers la bibliothèque pour contempler plus sérieusement les livres rangés. Elle tourne la tête et sourit spontanément à Lula lorsque celle-ci entre dans le bureau suivie par Jonathan.

— Alors mes louloutes, assoyez-vous, je vous prie.

Il dit cela en prenant place derrière son bureau, avec un index pointé sur les deux chaises en face de lui.

— Livia, je te présente Lula, celle à qui tu as piqué le sujet pour lequel elle me bassine depuis près d'un an. Lula, je te présente Livia, le grand reporter en herbe devant laquelle tu dois t'écraser.

Lula adresse son plus beau sourire à Livia, accompagné d'une main tendue que la nouvelle arrivante saisit volontiers.

— Lula Goncalves, fille d'un petit plombier et d'une simple mère au foyer.

Cette vérité ayant manifestement pour but de plomber l'ambiance fait au contraire apparaître un sourire pas du tout forcé sur le visage de Livia qui se tourne vers Jonathan.

— T'avais raison, elle grogne, mais elle fera ce que je lui dirai de faire !

Elle se retourne vers Lula :

— Livia Pereira, fille de reporter et petite fille de grand reporter célèbre.

Durant ces quelques instants de présentation qui auront duré une éternité pour Jonathan, jamais leurs mains ne se seront lâchées.

— Je suis désolée, crois-moi bien. Essaye de te mettre à ma place, soit je suis prétentieuse comme tout le monde le pense et cette situation me va à merveille, soit je suis simple comme une jeune journaliste peut l'être en sortant d'école et ça me fait chier de voir tous vos regards de travers et vos discussions de groupe un café à la main qui s'arrêtent net à mon passage.

— Ça, je ne peux pas te répondre, je ne te connais pas. Je sais juste que ça fait quatre ans que je suis ici et que l'enquête que l'on te confie me revenait de droit, comme une récompense. Je sais aussi que tu vas me proposer qu'on s'y mette à deux c'est ça ? Rien que ça, ça me fout les boules. Tout ce que j'avais déjà commencé à faire je vais devoir le partager avec toi, et on devra cosigner le papier à la fin. Ton grand-père est une légende, ton père l'est aussi, c'est un fait. Imagine que l'on collabore et qu'à la fin notre travail soit reconnu au-delà des espérances, avec traduction en dix langues et prix Pulitzer ? Je sais j'y vais fort, mais si c'est le cas c'est toi seule qui seras dans la lumière. Quand on dit que chez les Pereira c'est dans les gènes...

— Tu aimerais être à ma place ?

— Non plus. Je te l'avoue. Ton frère est mauvais mais il est communément accepté comme un grand. J'ai mon amour-propre et ne le supporterais pas, mais lui ça n'a pas l'air de le bouleverser.

Jonathan se contracte. Il assiste à ce qu'il ne voulait pas, même s'il s'y attendait, mais les débordements sur la famille Pereira le forcent à intervenir. Livia est plus rapide :

— Ça ne le bouleverse pas je te confirme. Mon frère est comme ça tu as raison. Mon père aussi d'ailleurs, sur lui tu te trompes. Ils sont pareils. Pas moi, et je refuse cette étiquette. J'aimerais que l'on travaille ensemble sur ce projet. J'aimerais que tu acceptes, et que l'on commence par prendre un café en ville pour parler de tout ça.

Livia se tourne vers Jonathan après avoir fixé Lula pendant quelques instants dans un silence où tout le monde semble acquiescer.

— On a combien de temps pour te rendre ça ?

— Je vous donne deux semaines.

Durant les dix minutes de marche jusqu'au café de la rue Dos Anjios ni l'une ni l'autre ne parle. Lula dépose son sac sur la table et prend son téléphone portable. Elle commence à pianoter rapidement de ces deux doigts. Livia qui tente d'apaiser l'atmosphère prend une mine admirative.

— T'es rapide dis donc, moi je galère pour envoyer le moindre message.

— Pour le boulot, c'est nécessaire d'être rapide.

Elle a lancé cette réponse sans même un regard pour Livia.

— Bon… et si tu arrêtais de me prendre pour une conne ?

Lula pose son portable sur la table et regarde Livia en souriant.

— Excuse-moi… Alors chef, par quoi on commence ? J'attends tes instructions. Livia s'enfonce sur sa chaise.

— Déjà, on passe une commande et après je te surprends, je t'étonne, je te troue le cul. Un café ? Tu dis plus rien, ça doit vouloir dire oui.

Livia interpelle la serveuse de loin puis pose ses mains sur la table en fixant Lula.

— D'abord, on va aller voir mon grand-père pour se caler, sur le qui fait quoi, mais surtout pour qu'il nous refile ses travaux sur les E.M.I. Lui, il va s'occuper des soins palliatifs et de toute la partie qui ne nous intéresse pas, enfin je suis sûr que toi aussi t'en avais pas grand-chose à foutre.

— Quoi ? Qu'est-ce que tu me chantes ?

— Je te dis qu'il s'occupera de faire le gros du travail, le plus chiant, comme ça, ça nous laissera tout le temps de travailler et d'enquêter sur les E.M.I.

— Attends, t'es en train de me dire que ton grand père est dans le coup ?

— Il a enquêté sur le sujet avant sa retraite et m'a initiée là-dessus. J'ai toujours su que je reprendrais l'affaire. Mon frère m'a appris ce matin que j'allais commencer par ça, mais je le savais déjà depuis une semaine. J'ai fait l'ahurie devant lui et Jonathan. Là, au programme, on a des contacts, un carnet d'adresses et des rendez-vous déjà planifiés, tu peux en être sûr. Il faut aussi que mon grand-père me dise, enfin, pardon, nous dise ce qu'il a promis de me dire il y a maintenant cinq ans. La seule condition était que j'entre dans le métier.

— Qu'il te dise quoi ?

— Une chose qu'il a apprise durant son enquête sur le sujet. Quelque chose de plus bouleversant encore, enfin ce sont ses mots, que l'hypothèse de la vie après la mort. Voilà. Tu sais tout, enfin tu en sais autant que moi.

Les cafés arrivent et l'instigateur du silence à changer. Lula n'est plus du tout dans sa posture dominante. Elle commence même à penser sérieusement au Pulitzer et se dit que c'est finalement une chance de faire équipe avec Livia.

— Alors d'accord… C'est carrément ton grand-père qui est à l'origine de tout ça. Mais qui te dit qu'il acceptera que je sois dans le coup ?

— Parce que je le dis. Lui et moi on fonctionne au feeling, et qu'on fasse ça toutes les deux je l'ai senti. Il le sentira aussi, du moins il sentira que je le sens.

— Et là on va le voir directement ?

— Pas tout de suite. J'ai rendez-vous, pardon, nous avons rendez-vous à l'hôpital avec un médecin, un anesthésiste réanimateur qui va nous parler de ses travaux sur l'après-vie.

— C'est lui qui a pris le rendez-vous ? ton grand-père ?

— Non. Tu ne crois quand même pas que je ne fous rien ! mais de toute façon, c'est vrai que le gros du truc viendra de lui, et encore une fois je ne sais pas ce qu'il va nous dire mais maintenant il faut commencer par les bases et ensuite creuser les pistes que mon grand-père va nous donner. C'est ce qu'il m'a dit de faire.

— Mais avec tout ça, et même s'il s'occupe d'écrire sur les soins palliatifs et les traitements à notre place… brefs, je ne me fais pas de soucis là-dessus, y aura de la qualité, mais ce que je veux dire c'est que ça va faire du bruit cette histoire non ? Parce que là on va carrément développer le côté ésotérique de la chose alors que Jonathan m'avait prévenu quand j'étais seule sur le boulot que ce ne devait être qu'une parenthèse… Il ne voulait pas que je parte à fond dans l'après-vie et l'au-delà !

— Toi aussi tu y as eu droit ? De toute façon, mon grand-père sait ce qu'il fait. Non seulement il pèse dans le métier mais son secret doit valoir le coup. Nous allons précisément faire ce que Jonathan, mon frère et les autres ne veulent pas que l'on fasse. Et nous allons le faire en sous-marin. Toi, moi et mon grand-père.

***

« Lorsque l'on part de ses études médicales, on est persuadé qu'on a un cerveau qui fabrique de la conscience, que ce cerveau est l'organe qui la fabrique, et que lorsque ce cerveau s'arrête, il n'y a plus rien, il n'y a plus de conscience, tout est fini, c'est le néant. Alors que les religions nous disent l'inverse. Dans toutes les religions du monde, on nous dit qu'il y a une vie après la mort. Maintenant, nous sommes en 1996, et les preuves scientifiques sont là. La médecine est une science. Nous savons que lorsque le cerveau s'arrête de fonctionner, c'est-à-dire la définition actuelle de la mort clinique, et bien des patients sont capable d'avoir une perception, une cognition, ils sont capables de voir ce qui se passe autour d'eux et ils sont capables d'appréhender ce qui se passe à distance de leur corps physique au moment même où leur cerveau ne fonctionne plus, alors à moins d'être complètement bouché, nous avons là la preuve de l'après-vie, de la survivance de la conscience après la mort. D'accord, nous sommes face à un phénomène inexplicable, d'accord cela ne rentre pas dans nos dogmes, mais que faire ? Il ne faut pas rejeter tous ces témoignages, il ne faut pas rejeter toutes ces expériences sous prétexte que l'on ne comprend pas. Lorsque l'on a franchi cet obstacle, tout devient plus clair ».

Les deux journalistes sont déconcertées. Quand Lula regarde le petit dictaphone pour s'assurer qu'il fonctionne toujours en mode enregistrement, Livia se gratte la tempe avant de poser une nouvelle question.

— Nous entendons les religions, les médiums et beaucoup de personnes nous dire ce genre de choses, mais jamais je n'ai entendu un médecin me dire de but en blanc que la vie après la mort existe. Avez-vous des détracteurs en médecine ?

— Bien sûr, un tas même ! Ces gens-là se retrouvent dans cette situation inacceptable pour eux : reconnaître cette inconcevable réalité reviendrait à enlever la toute-puissance de la médecine en matière de vie et de mort, chose que fait la religion.

— Mais ils ont pourtant accès aux travaux dans ce sens ? Vous nous dites que scientifiquement, c'est un fait, alors pourquoi s'obstinent-ils néanmoins à le faire si cette vérité est si implacable ?

— Je viens de vous le dire, la religion est pour eux quelque chose qui ne doit pas empiéter sur la médecine.

— Mais quels sont leurs arguments ?

— Ils tentent par tous les moyens de discréditer nos travaux, et ils le font bien. Franchement, pensez-vous que sur un plateau de télévision en direct, un animateur sérieux, enfin suffisamment pour traiter ce genre de sujet, soit assez maladroit pour aller dans le sens de l'ésotérisme lorsqu'il a en face de lui un professeur en neurochirurgie qui lui soutient du haut de ses compétences en matière d'opérations à cerveau ouvert que tout est faux ? Nous sommes dans le monde de la médecine l'équivalent des pilotes dans le monde aéronautique qui affirment avoir vu des OVNIS. Nous sommes décrédibilisés.

— Avez-vous personnellement étudié ce phénomène sur des cas concrets ? des patients ?

— Évidemment, c'est même après un accident de la route sur lequel j'étais intervenu que j'ai commencé mes recherches. J'étais un jeune médecin tout juste sorti d'études, cartésien jusque dans mes tripes et mon regard sur la mort à changer en un instant. Depuis j'ai travaillé avec des patients qui ont fait des EMI, et cela me conforte aujourd'hui dans mon idée.

— Que se passerait-il selon vous si, comme vous le dites, il n'y avait plus à débattre, que cela soit reconnu comme un fait par l'ensemble de la communauté médicale ?

— Je ne dis pas qu'il faille clore le débat, je dis simplement que si la vie après la mort était reconnue comme telle, c'est-à-dire un fait médicalement indiscutable en fonction de nos connaissances actuelles, ce serait une révolution pour notre monde occidental. Je dis bien occidental, parce que dans de nombreuses sociétés cela est déjà le cas. Notre monde occidental est basé sur la matière, le palpable, le matériel, la réussite sociale et l'argent. La religion seule répond à la question de l'après-vie, mais ce n'est de fait qu'une supposition car elle ne s'appuie pas sur des faits scientifiques, et dans notre société chaque personne est en droit d'adhérer ou pas aux dogmes religieux, quel que soit le dogme. Il y a les athées, les musulmans, les catholiques... bref, la population ne se pose pas ce genre de questions. Elle a peur de la mort. Pour elle, la vie prime sur la mort. Vous connaissez ces expressions, il faut vivre sa vie à fond, on a qu'une vie, ce n'est pas au cimetière que je pourrais en profiter... Oui, ce serait une révolution. L'absolue certitude de la survivance de l'âme impliquerait aussi une responsabilité pour chaque acte dans notre vie.

— Alors vous, vous seriez plutôt dans cette optique ? Cela changerait-il vraiment le monde selon vous ?

— Vous plaisantez ? Cela est évident. Regardez les bouddhistes, rien qu'eux, même s'il y a d'autres communautés à travers le monde qui ne vivent et ne prennent la vie que pour une simple étape, et bien ils sont pacifistes et leur vie est exclusivement spirituelle. De toute façon, ce que je souhaite n'a pas d'importance. Nous y allons vers cette acceptation, je ne sais pas si cela se fera rapidement ou non, mais l'humanité dans sa totalité acceptera cette évidence dans au plus tard quelques siècles. La terre était plate il n'y a pas si longtemps de cela, et on chassait les sorcières. Nous avons peut-être des avions et des ordinateurs, mais rien qui puisse répondre aux questions fondamentales de la vie et de l'univers. Nous sommes des homos modernus, et l'Histoire n'est pas là uniquement pour nous éclairer sur d'où l'on vient, mais nous rappelle qu'elle continue. Rappelez-vous de ça, il y a peu encore la terre était plate. Les plus brillants et éminents penseurs de l'époque ne débattaient plus sur ce sujet. La certitude facile, voilà sûrement la plus grosse bride de l'homme. La certitude facile.

— Mais vous-même dites que la vie après la mort est une réalité ? Qu'il n'y a plus à débattre ?

— Jamais je n'ai dit qu'il ne devait plus y avoir de débat, au contraire ! Un débat équitable c'est ce que nous voulons. Je dis juste qu'avec nos connaissances sur le fonctionnement du cerveau, la vie après la mort est bien réelle. Que l'on me soutienne le contraire, je veux bien, mais avec de vraies preuves scientifiques, preuves qu'ils n'ont pas. Ils ne font que sortir ineptie sur ineptie dans le seul but de nous discréditer, et cela, j'en ai acquis la certitude je vous le confesse. Vous devriez interroger des expérienceurs, des gens qui n'ont aucune compétence en médecine mais qui eux, ont en revanche une certitude. Ce qu'ils ont vécu est bien réel.

— Pouvez-vous justement nous en présenter ?

— Oui évidemment, mais je ne voudrais pas que vous les fassiez tourner au ridicule, alors vous devez me promettre que votre enquête n'est pas destinée à finir entre deux articles de la rubrique économique par exemple. Et vous, aussi, qu'en pensez-vous ? Quelle est votre opinion ? Vous faites cette enquête, mais vous tient-elle à cœur, ou la menez-vous comme n'importe quelle autre ?

Lula répond la première.

— J'attends de traiter ce sujet depuis mon entrée en journalisme.

Lula conduit la petite Seat que Jonathan a mise à leur disposition. C'est encore sans un mot de l'une et l'autre que les premiers kilomètres qui les éloignent de l'hôpital se font, mais cette fois-ci les silencieuses connexions de matières grises sont exclusivement réservées à l'assimilation de ce qu'elles viennent d'entendre.

— Il nous faut un contre avis.

— On va déjà aller voir un expérienceur, et mon grand-père aussi.

— Merde ton grand-père ! Lorsqu'il bossait sur le sujet il y a dix piges les travaux n'étaient pas aussi avancés que ça ! Je suis même sûre que c'est nous qui allons lui apprendre des choses avec ce qu'on vient d'entendre.

Lula se reprend :

— Excuse-moi, je suis sur les nerfs. La semaine dernière, on m'apprend qu'on me retire le sujet et ce matin je le récupère, mais je dois faire équipe avec toi, après tu me balances tout sur ton grand-père et on rencontre ce toubib. Excuse-moi.

— Tout va bien t'inquiète pas.

— Franchement, qu'est-ce qu'il va nous dire ton grand père ?

— Ça, j'en sais rien, mais ses mots c'étaient « il y a quelque chose de plus bouleversant encore que l'hypothèse de la vie après la mort ».

— Putain, ce qui risque de nous tomber sur le coin de la gueule encore une fois… Tu sais, ton grand-père est une légende, tu le sais ça ? Moi je n'ai jamais osé rêver d'un truc pareil. Jamais. Faire un jour équipe comme ça avec lui, sur un sujet comme celui-là, eh bien je te le dis franchement, je le prends comme la chance de ma vie. Plus que ça même, ce n'est pas juste la chance de faire un gros coup, c'est aussi le sujet qui me branche.

— T'es allée loin déjà ? quand t'étais seule sur le coup ?

— Officiellement non, parce que Jonathan me l'interdisait. Ça devait commencer la semaine dernière et je devais être en solo, alors quand il m'a dit que le sujet ne serait plus traité par notre journal j'étais dans un état tu n'imagines même pas… Et puis les autres m'ont ouvert les yeux. Ça coïncidait à peu de jours près avec ton arrivée, et j'ai tout compris. Pedro, celui qui s'occupe de la nécro, il m'a raconté qu'avec ton frère chez Alicidas il y avait des histoires comme ça aussi, il prenait les sujets qui l'intéressait en envoyant tout le monde se faire foutre, et, bref, je t'ai détestée tout de suite sans te connaître… Mais pour répondre à ta question, c'est oui, j'avais déjà commencé à travailler dessus sans que Jonathan le sache.

— Et alors ?

— Bah, pas grand-chose, enfin les fondamentaux. Je devais aller voir un prêtre aussi. Mais le plus génial pour nous dans tout ça, ce ne sont pas les infos de ton grand-père, ni les tiennes ou les miennes, c'est surtout sa couverture. Enfin, t'es sûr qu'il montera au créneau pour nous si jamais on se fait allumer ?

— Oui et oui. Oui on va se faire allumer et oui il montera au créneau. Déjà parce que c'est mon grand-père et aussi parce qu'il veut que je creuse cette histoire. Pardon, que l'on creuse cette histoire.

— Ah oui j'oubliais, je m'étais renseignée auprès d'un médium aussi.

— Et alors ?

— Une nana, et putain, je l'appelle en lui donnant mon nom et je lui dis que je passerai lui poser quelques questions, et la conne elle rappelle la rédac le lendemain pour donner ses dispos, et elle tombe sur Nathalie, une copine de Jonathan qui bien sûr s'est empressée d'aller le voir pour tout baver. Je t'explique même pas la crise. C'est pour ça, ce qui me fait le plus flipper c'est de me faire virer si jamais ça se sait qu'on ne fait que traiter les E.M.I.

— Ne t'inquiète pas je te dis. Mais pour les médiums t'as raison, faut en voir, alors faut faire le tri et en prendre un qui n'a pas une réputation de charlot et de voleur.

Lula souffle. Elle tourne la tête vers Livia puis lui offre son premier sourire depuis le début de leur collaboration.

— Quand même, ce toubib il m'a mis la chair de poule… Un vrai médecin en exercice qui nous affirme que la vie après la mort est scientifiquement… plus que possible ? C'est bien ça qu'il faut comprendre ?

— Oui, mais il n'a pas que des amis dans sa branche, ça aussi j'ai compris.

— Ah, alors tu crois qu'il raconte des cracks ?

— Non, je pense qu'il s'appuie sur de vraies preuves mais qu'il est encore trop tôt pour le monde médical d'accepter tout ça.

— C'est clair, et d'un autre côté il exerce toujours, je veux dire par là qu'on ne l'a pas mis à pied. S'il sortait de grosses conneries, le Conseil de l'Ordre l'aurait déjà évincé.

— C'est vrai et c'est ce qui me fait dire qu'il a raison, en plus du fait que je le croie, enfin que je croie au fond de moi que la vie ne s'arrête pas comme ça, bêtement après que le corps a cessé de fonctionner, mais oui, ce type tient des propos ahurissants depuis des années et il est encore chef de service dans un hôpital.

Après s'être restaurées, les deux jeunes femmes s'engouffrent sur l'autoroute les menant à Porto où vit ; non loin de là, l'expérienceur qui, d'après le docteur Domingues, est le plus enclin à faire part de son E.M.I. Il est 14 h 37. Livia s'assoupit. Lula reste sur la file de droite, bien en dessous de la vitesse autorisée. Sa vie elle, dépasse depuis ce matin et de loin la vitesse ordinaire à laquelle elle était habituée. Tout s'enchaîne pour sa plus grande excitation. Au diable les craintes, c'est maintenant ou jamais se dit-elle. Née d'un père plombier et d'une mère au foyer, elle a grandi avec ses cinq frères et sœurs dans le Lisbonne populaire. Lorsque Lula a perdu son père à la suite d'un cancer, elle n'avait que sept ans. C'est à cet instant qu'elle a pris conscience de sa mortalité et de tout ce que cela implique comme questions. Qu'y a-t-il après ? Y a-t-il quelque chose déjà ? Dieu existe-t-il ? À huit ans, on lui a demandé de faire sa communion. Rejoindre Dieu et le Christ. Mais quel Dieu laisserait crever ses enfants comme ça ? se demandait-elle. Elle était à l'âge où on avoue aux enfants que le père Noël n'existe pas. Oui, c'était un peu gros cette histoire de toute façon, surtout pour Lula. Un homme qui se déplace en traîneaux volant et passe à travers des cheminées trop petites pour son ventre bedonnant, et ce des milliards de fois autour de la planète en l'espace d'une seule nuit. Pathétique. Mais alors, Jésus a ressuscité ? Il a multiplié les pains ? Il a marché sur l'eau ? De deux choses l'une : soit on se fout encore d'elle, soit les adultes ont besoin de croire en un père noël se disait Lula. Avec le temps, elle en a déduit que la peur de la mort chez la plupart des gens en était la raison. Là où beaucoup tentent par tous les moyens de l'occulter et s'abandonnent à la fatalité en célébrant un dieu les dimanches, Lula s'est juré non pas de combattre la mort, mais de lui donner un sens. Et si mourir faisait partie de la vie ? Cette question-là, elle ne se la pose plus, ou alors en la retournant. Et si notre passage sur terre faisait partie de la vraie vie ? Et si oui, cette vraie vie est-elle éternelle ? Elle retrouverait son père si cela était le cas. Plusieurs séances de spiritisme improvisées lorsqu'elle était à la faculté de journalisme l'avaient éloignée de la réalité sur la chose. Des soirées étudiantes où tous les membres alcoolisés se donnaient la main autour d'une table pour invoquer les esprits, ce qui ressemblait plus à une bouffonnerie qu'à une véritable recherche de vie après la mort. Quand ses amis ne quêtaient que le frisson, Lula était déjà assoiffée de réponses. Elle se perd dans ses souvenirs, et alors que la ligne blanche discontinue de l'autoroute commence à l'hypnotiser, Livia se réveille en sursaut et s'agrippe au poignet de Lula qui met un coup de volant avant de remettre la voiture dans sa trajectoire.

— Putain tu m'as fait peur ! T'as fait un cauchemar ou quoi ?

Livia reste figée, serrant le poignet de Lula de plus en plus fort en regardant droit devant elle, comme perdue.

— Ça va ? Attends, lâche mon bras s'il te plaît… Lâche… Je suis en train de conduire et on va se planter… Lâche mon bras, t'as fait un cauchemar…

Livia reprend peu à peu ses esprits, la respiration haletante, alternant ses regards sur la route et Lula comme pour s'imprégner du décor et des personnages. Elle finit par lâcher prise au bout de quelques secondes interminables pour Lula, qui reprend la parole sur un ton maternel.

— C'est fini, c'est fini. T'as fait un cauchemar ma belle.

Livia porte ses mains à son visage et expire lourdement. Lula reprend :

— On va s'arrêter boire un café OK ? Y'a une aire de repos dans trois kilomètres.

— OK bonne idée. Il faut aussi qu'on aille vers la physique.

— Quoi ? De quoi tu parles ?

— On doit rencontrer un physicien, il faut chercher par là aussi.

Lula se demande dans quel contexte mettre cette dernière phrase de Livia. Est-elle encore comateuse ? À moitié réveillée et délirante ? Cet état cotonneux entre le rêve et la réalité qui nous fait dire et penser des choses souvent sans queue ni tête ?

— Qu'est-ce que tu veux dire par là, rencontrer un physicien ?

Livia s'étire maintenant, les poings serrés et collés au plafond de la petite Seat puis répond dans un bâillement.

— Bonne idée le café, en plus j'ai envie de pisser.

Assise à la table de la station-service, Lula commence elle aussi à bâiller. Elle jette un œil sur la carte des consommations en attendant Livia et se demande encore ce que celle-ci a voulu dire dans la voiture avant de totalement l'oublier. Elle l'aperçoit revenant des toilettes. Livia s'assoit lentement avec un sourire à Lula.

— Je t'ai foutu la trouille dans la bagnole, non ?

— Un peu oui ! T'étais une autre. T'as fait un cauchemar et tu t'es réveillé comme une furie en attrapant mon poignet, et tu m'as fait mal putain ! répond Lula en riant.

— Je suis désolée…

— Ça t'arrive souvent ce genre de truc ? Parce que faut que je sache pour les prochaines fois !

— Héritage de famille, enfin de mon grand-père. On se réveille en sursaut une fois sur trois, alors à force on s'habitue.

— Vous faites des cauchemars ou quoi ? Parce que ça, c'est un vrai handicap, j'imagine…

— On vit avec ! Quand je te dis que je suis très proche de mon grand-père, là t'en as la preuve.

— Et tu te souviens de ce que tu m'as dit juste après ? Ou ça aussi c'est de famille ?

— Quelquefois oui parfois non, mais là je m'en souviens. Tu sais, on cherche des réponses sur l'après-vie, alors il faut aussi chercher sur l'avant, ça me paraît essentiel. L'origine de la vie sur terre, dans l'univers, l'atome quoi. L'infiniment grand et l'infiniment petit, tout ça.

— Ah oui, mais là ma belle... Je peux t'appeler ma belle ?

Livia acquiesce avec un sourire.

— Alors ma belle, on fout déjà les pieds dans un domaine inconnu, et sur lequel je te le rappelle on a eu comme consigne au départ de n'écrire que quelques lignes... Tu veux en plus rajouter l'origine de la vie ?

— Ces deux choses sont liées.

— Je n'en doute pas, mais regarde... On ne part plus sur une enquête de deux semaines là ! On était déjà plus que border line, mais si on part là-dedans, on va voir des scientologues et dieu sait que je ne peux pas blairer les sectes, pour qu'ils nous parlent du grand architecte de l'univers, on va au Tibet voir des bouddhistes aussi, enfin ça ne s'arrête plus ton histoire !

— C'est l'essence même de notre métier, non ? Chercher ?

— Mon métier c'est aussi mon boulot à la rédaction, et mon boulot c'est un salaire. Je suis désolée de te dire ça, et surtout ne crois pas que je te juge en fonction de ton nom, de tes facilités avec ton nom et surtout de tes facilités financières, enfin j'imagine que tu n'as pas de problèmes de ce côté-là... Mais bref, moi j'ai besoin de mon salaire, aussi petit soit-il. Tu comprends ?

— Je comprends tout ça, oui, et je suis consciente de cette chance qui est la mienne aussi. C'est vrai que pour moi, le traitement serait différent en cas de clash avec Jonathan. Déjà, j'imagine mal me faire virer par n'importe qui d'ailleurs, pas que par Jonathan. Ensuite pour ce qui est de l'argent tu as raison aussi, je n'ai aucun problème de ce côté-là. Mais si je veux aller plus loin, ce n'est pas parce que je n'ai pas peur des conséquences mais parce que je sens quelque chose d'énorme derrière, quelque chose qui vaut la peine qu'on aille jusqu'au bout. Pour ce qui est des conséquences, et il y en aura tu peux en être sûre, elles valent vraiment ce que l'on s'apprête à faire. Toi si tu me suis, tu suis…

Lula s'empresse de répondre à sa place :

— Je suis la famille Pereira, et j'avoue que ça me soulage un peu de savoir qu'il y a la puissance de ce nom derrière.

— Non, dans la famille Pereira il n'y a que mon grand-père qui nous sauvera.

— Ah bon ? Ton père et ton frangin vont t'appuyer sur la tête ?

— Non, mais sur la tienne oui. Mon grand-père nous soutiendra toutes les deux, mais pour les autres ils diront que tu m'as entraînée là-dedans. Je joue franc jeu avec toi. C'est comme ça que ça va se passer, mais mon grand-père, lui, aura le dernier mot et donc tu resteras accrochée. Je te le redis, n'aie aucune crainte quant aux retombées. Mon grand-père est le doyen de la profession, alors même moi qui ne suis qu'une jeune novice, je ne doute pas un instant que lorsque qu'on nous reprochera d'en avoir fait qu'à notre tête, non seulement il sera là pour nous, mais sa parole pèsera énormément. Il m'a donné cette mission, et toi maintenant tu es avec moi sur le coup. N'aie pas peur des conséquences, mais plutôt de le décevoir. On doit se donner à fond. Je te le répéterai autant de fois qu'il le faudra.

— Quand est-ce qu'on va le voir ton grand-père ?

— T'as pas confiance ?

— Si, mais j'aimerais lui parler de vive voix. Comme pour acter tout ça, tu comprends ? Les deux jeunes femmes se regardent fixement dans les yeux. Lula cherche à ne pas vexer Livia en masquant ses doutes d'un petit sourire gêné, mais sa jeune complice s'enfonce sur sa chaise, inexpressive. On ne saurait dire si elle est blessée ou en colère, juste agacée ou troublée par ce qui n'est ni plus ni moins qu'un passage en force de Lula, comme une limite atteinte à ses yeux et qu'elle ne franchira pas avant d'avoir pu parler à ce grand-père tant renommé dans le métier et à qui elle devra son salut à coup sûr.

Livia se redresse.

— OK, je l'appelle et tu lui parles si tu veux ?

Lula n'a pas le temps d'acquiescer. Sa posture, son attitude et son expression en prenaient pourtant la voie, mais le téléphone de Livia vient les sortir de ce malaise. Elle fouille dans son sac à sa recherche, puis aussitôt pris en main, regarde le petit écran à cristaux liquides où le nom de l'appelant est écrit en gras. « Papy ». Elle le tend à Lula dans un sourire satisfait, comme contente de prouver une fois de plus qu'elle et son grand-père sont connectés par la pensée.

— Tiens, c'est pour toi… Même pas besoin de l'appeler, il le fait pour nous !

Un temps de silence. Lula est interloquée par cette synchronisation. Il faudra que le téléphone arrête de sonner pour que Livia le repose sur la table et s'adresse à elle sur des mots de réconforts.

— Ne t'inquiète pas. Je le rappelle, je lui parle et te le passe OK ?

Lula acquiesce d'un petit signe de tête. Livia appuie sur une touche de son téléphone et le porte à son oreille. Au bout de quelques secondes s'en suit une discussion avec son grand-père, Lula n'en perd pas une miette. Des échanges ponctués de questions-réponses, de sourires et d'étonnement. Puis vient le moment où Livia lui tend le téléphone sur un « je te laisse seule avec lui, je vais prendre l'air ».

Livia s'étire sur un plot délimitant les places de parking, son corps encore endolori par la position inconfortable lors de son sommeil dans la petite Seat. Après un nouveau bâillement, elle jette un œil à l'intérieur où elle aperçoit Lula assise, le regard fixe droit devant elle et le téléphone posé sur la table. Livia tente de capter son attention avec de petits signes au travers de la baie vitrée puis finit par toquer lourdement. Un sourire et un large signe de main : « On y va ? ».

Dans la voiture, Lula semble apaisée par ce qu'elle vient d'entendre de la bouche même du plus grand journaliste portugais de tous les temps. Un soutien indéfectible de sa part ne fait désormais plus aucun doute dans son esprit, et l'enquête devient le seul sujet de discussion entre elles. Il aura fallu trois heures de route supplémentaires aux deux jeunes journalistes pour arriver à Porto. Le lendemain matin, elles ont rendez-vous chez un particulier en banlieue afin qu'il leur fasse part de son expérience de mort imminente, le cœur même de leur travail. Un hôtel bon marché, où un grand lit serait partagé avait été convenu plus tôt pendant le trajet, les jeunes femmes se sentant de plus en plus complices. Ce n'est que le début de l'aventure se disaient-elles, mais quelle aventure après seulement une journée à faire équipe. Ce matin encore, elles ne se connaissaient que de nom, avec des tensions et jalousies de l'une envers l'autre, et ce soir elles se couchent dans le même lit comme deux sœurs inséparables. Quelques mots échangés sous les draps, puis elles s'endorment quasi simultanément, pensant une dernière fois à leur interview de demain, bercées par les bruits du trafic.

***

« À l'âge de vingt ans, j'ai eu un accident de voiture dans lequel j'ai eu une fracture de la colonne vertébrale qui nécessitait une opération. À la suite de cette intervention, j'ai eu des complications pendant la nuit, j'ai fait une hémorragie interne, et c'est durant cette hémorragie interne que j'ai fait cette expérience de mort imminente. Alors cette expérience est arrivée… Déjà, on est très faible à la suite de l'opération, et on est dans des états de fatigue assez importante. On ne sait jamais où est la réalité, on est vaseux. Et soudainement, gentiment, j'ai vécu l'agonie. L'agonie, ce sont plusieurs étapes, c'est une prise de conscience par rapport à la vie, par rapport à l'autre vie, et je dirais que c'est un état qui m'a vraiment soulagé de ma souffrance physique. Je me sentais de mieux en mieux, j'avais l'impression d'aller bien et je me suis laissé aller. J'avais vraiment un sentiment de plénitude, de soulagement et que tout s'était bien passé. Quelques minutes plus tard quand l'alarme s'est déclenchée, car j'étais en soins intensifs, on est suivi par des machines et les alarmes s'étaient déclenchées déjà plusieurs fois pour des raisons d'électrodes qui se décrochent ou autres choses pas graves, mais là tout à coup c'était la vraie alarme. J'avais les moniteurs au-dessus de moi et je pouvais voir la respiration par minute, le nombre de battements cardiaque aussi, j'ai vu que le compteur était à trente-huit pulsations minute, et là j'ai constaté qu'effectivement il y avait un problème, quoi… C'est aussi quand j'ai vu l'affolement de l'infirmière que ça a confirmé quelque chose de grave pour moi. Là, ça s'est passé très vite. Le temps que le médecin arrive, qu'il constate que c'était une hémorragie et que j'étais en insuffisance respiratoire. Je me sentais étouffer mais je me sentais bien, de plus en plus léger. Je me sentais partir mais je n'avais plus du tout conscience de la réalité, de notre réalité, c'est-à-dire que je ne voyais pas du tout la gravité... et l'affolement de ces gens en fait, je ne le comprenais pas. Puis, tout d'un coup, vlan. Le départ. C'est quelque chose qui vous prend en fait... C'est très léger, et puis le moment de l'arrêt cardiaque et respiratoire se fait sans grande prise de conscience, et je me suis senti de plus en plus léger. J'ai commencé à sortir de mon corps, et là je ne prenais plus conscience du personnel médical, de ma situation terrestre. Je me sentais décroché de tout ça. Là, j'ai commencé à m'élever du corps, comme si je flottais, et tout d'un coup je me suis retourné quand je suis arrivé au niveau du plafond et c'est là que j'ai vu le personnel médical et mon corps, la réanimation. J'ai pris conscience que c'était moi qui étais en dessous, là, dans ce lit, mais j'avais vraiment un détachement complet de ce corps. Question sentiments, question attachements, là on n'en a plus du tout. On est vraiment serein. On se sent flotter, on regarde encore ce corps et on se dit, OK, à quoi bon ? J'ai vécu dans ce corps mais là je suis attiré ailleurs. Il y a vraiment un lâcher-prise du corps. Je crois que c'est lorsque j'ai vu l'infirmière partir en courant que je l'ai suivi en fait. Je me souviens encore très bien de ça, j'étais en arrière d'elle sur le côté droit et un peu en hauteur. Elle est partie, je ne sais pas pourquoi, peut-être pour aller chercher des unités de sang ou je ne sais quoi. Je la suivais, et elle passait des portes mais moi je passais à travers les murs, le faux plafond. Je flottais dans l'immatériel, et ça, c'est un sentiment qui est vraiment bizarre. Cela étant, je me dis où elle va ? Mais en fait je m'en fous, alors je traverse d'autres murs, encore le plafond et je vois d'autres personnes, des lits, des chambres… C'est un sentiment bizarre. Enfin, d'en parler après coup c'est un sentiment bizarre, mais sur le moment c'est tout à fait normal. C'est un état de conscience de l'âme qui navigue et qui part. Et là, je me suis senti aspiré, jusqu'à sortir de l'immeuble. Je me rappelle plus ou moins de quelle façade je suis sorti, mais là, à partir de ce moment-là c'est le trou noir. Plus rien, plus d'images, le néant. Je me sentais voyager, et c'est à ce moment-là que je me suis senti aspiré dans un genre de tube. Sans le voir. Avec un noir total autour, mais toujours avec ce sentiment de déplacement, de voyage, enfin… Là, il n'y avait plus de notions de distances et de temps… C'était très étrange, mais je sentais que je me rapprochais de quelque chose ou de quelqu'un. Tout d'un coup, une petite lueur très forte mais très petite, au milieu de rien. Elle était là devant moi. Minuscule. Je sentais que je m'approchais de cette lueur. C'est un passage qui se fait progressivement. Cette petite tache de lumière très forte devint de plus en plus grande, grandie, et on sent qu'on doit s'approcher de cette lumière, avec un sentiment d'apaisement grandissant. Cette lumière est la seule chose qui nous raccroche dans ce néant, on se dit qu'il n'y a que ça comme passage. Plus on s'approche de cette lumière et plus elle prend de place autour de nous. Cette lumière est plus forte que le soleil mais elle n'éblouit pas. Je me demandais avec quels yeux je voyais, vu que je n'avais plus mon corps, mais cette lumière ne m'éblouissait pas du tout, alors qu'elle était au moins mille fois plus puissante que le soleil, et au moment où j'ai senti que cette lumière m'entourait entièrement, j'ai ressenti l'apaisement total. Un sentiment de bien-être incomparable, et c'est à ce moment qu'une voix m'a interpellée en me posant une question assez choquante je dirais… En fait cette lumière, on sent que c'est une entité. Un ange ou je ne sais pas… Et là j'entends : « Que viens-tu faire ici ? Ton heure n'est pas encore venue » alors là c'est… On se dit tiens, des mots maintenant ! Avec quelle oreille j'entends ça ? Ces simples mots m'ont rassuré quand même, par rapport à l'endroit où je me trouvais, mais ces mots m'ont témoigné un sentiment d'amour, et j'avais l'impression que cette entité comprenait tout de moi, qu'elle savait tout de moi et me connaissait déjà depuis le début de ma vie. Mais le sentiment que cette entité me donnait c'était vraiment un amour, mais un amour fort, très très fort, un amour inconditionnel. Un amour qu'on ne peut pas sentir sur terre, je crois que même si on est une grande star et qu'on a des milliers de fans, on ne peut pas ressentir ça. C'est vraiment un amour qui est pur. Même l'amour d'une mère pour ses enfants n'est pas aussi fort que cet amour-là. Au bout d'un certain temps, enfin… Le temps n'existait pas, mais au moment où la confiance était totale entre nous, je me suis senti rassuré par cette entité qui m'avait accueilli, et je voyais que j'avais encore un autre passage à faire. À ce moment-là, la communication était télépathique. Lorsque l'entité m'a posé sa question, tout était par télépathie. Moi j'étais toujours dans ce bien être, et l'entité a voulu me contrecarrer par rapport à cette pensée. Elle m'a demandé si je voulais rester avec elle ou si je voulais repartir dans mon corps, toujours par télépathie. Elle m'a montré la véritable frontière, la limite où se situe le point de non-retour. Elle m'a emporté vers cet état de conscience où j'ai pu voir une frontière ultime, et là j'ai pu voir d'autres âmes, des défunts qui étaient là, de l'autre côté, je ne peux pas dire à quelques mètres car les distances n'existent pas, mais elles étaient toutes près de moi tout en étant derrière cette frontière. Je les sentais paisibles, je les sentais bien, et là l'entité m'a demandé si vraiment je voulais franchir cette frontière tout en me prévenant qu'il y avait un point de non-retour. Et là... Non. Même si c'était beau ce que je voyais, je n'ai pas osé faire ce pas. J'ai senti que je préférais rester avec mon ange, enfin l'entité que j'appelle mon ange, cette ange qui me rassurait. Ensuite, cet ange m'a ramené dans un autre état de conscience. Ma revue de vie. Alors... la revue de vie, c'est un passage qu'on fait face à soi-même. Je sentais que l'ange était toujours avec moi, mais je ne le voyais plus, il était derrière et m'enveloppait, mais j'étais face à moi, face à ma vie, avec toutes les émotions et les sentiments que j'ai vécus, que j'ai provoqués aussi. On voit le bien qu'on a fait, le mal aussi. On ressent les émotions qu'on a provoquées aux autres. Si on a provoqué du mal, on vit le sentiment du mal au travers de la personne qui l'a vécu. On se met à la place des autres en fait. On a accès à sa vie, seconde par seconde. C'est le déroulement de sa vie du point A au point B, ce qui nous a amenés jusqu'ici. Chaque détail est là. On pèse sa vie... Était-elle bien ou mauvaise, enfin bien ou mauvaise, on n'a même pas ces adjectifs dans cet endroit. On prend simplement conscience de ce qu'on a fait. Dans la vie, on peut avoir des sentiments de culpabilité, de ce qu'on aurait pu faire mieux. Là, c'est pire. On se juge très négativement, on se sent mal. C'est un sentiment désagréable mais l'ange qui est avec nous est là pour nous rassurer, enfin nous montrer qu'il n'y a que nous qui nous jugeons. Malgré tout ce que l'on voit devant nous, nos mauvaises actions, l'ange est toujours là avec nous. Il nous aime toujours de cet amour inconditionnel et ça nous rassure. C'est à partir de ce moment-là que je me suis accepté. Ensuite, l'ange m'a amené dans un nouvel état de conscience, celui de la connaissance et du savoir. C'est un état où l'on a le droit de tout savoir. Je me posais une question, et instantanément j'avais la réponse. Je connaissais la physique, la musique, tout sur tout.

C'est comme si votre cerveau était connecté à une gigantesque bibliothèque. C'est un savoir universel. Je ne peux pas vous dire toutes les questions que je me suis posées, mais je sais que j'avais les réponses. Je savais tout sur tout. Je comprenais le monde tel qu'il était. Pourquoi l'humanité en était là, et il y avait une logique implacable à tout ça. Cette prise de conscience est fabuleuse, on a l'impression qu'on pourrait aider le monde, changer le cours des choses, mais on est ailleurs, loin de notre corps, seulement dans un état de conscience. Et une fois qu'on a suffisamment baigné dans cet état de conscience avec notre ange, et puis d'autres anges autour car on se rend compte qu'on n'est pas les seuls, on voit qu'on est dans un autre monde où on est tous. On fait tous partie de « un ». Il y a une prise de conscience de l'unité. L'univers et tous les autres univers qu'il peut y avoir autour sans mettre de limite, comme l'infiniment grand et l'infiniment petit, on fait partie de « un ». Nous-mêmes on fait partie de cette unité, et la moindre brindille d'herbe aussi. C'est un tout qui est indissociable. C'est « un », et c'est « l'un ». Il n'y a pas de mot pour expliquer ça. Après avoir suffisamment baigné dans cet univers, mon ange m'a demandé si j'étais prêt à retourner sur terre. Pourquoi y retourner ? lui ai-je répondu. À quoi bon revivre une vie terrestre ? Quel est mon avenir si je repars ? Et là, l'ange m'a montré mon avenir, toujours avec cet amour inconditionnel. C'est à cet instant-là que j'ai vraiment décidé de revenir sur terre, et l'ange m'a fait comprendre que j'avais fait le bon choix. Je pense même que si j'avais décidé de rester là-bas, il m'aurait renvoyé et je serais revenu avec un autre état d'esprit. Peut-être plus rebelle, sans l'acceptation. Puis l'ange m'a fait faire le chemin inverse. J'ai vu des formes, comme des formes humaines, un peu comme des auras. Comme des halos de lumière. On sent qu'il y a de l'énergie. Ces halos de lumière ce sont des âmes, et on voit que ces âmes ont un passé, un vécu. J'étais à la porte, celle par laquelle je suis entré au début et j'ai compris que ces âmes étaient comme moi, en transition, chacune avec leur ange. J'ai dit au revoir à mon ange, mais sans aucune peine, comme si on allait se revoir, et c'est à ce moment-là que je me suis senti aspiré à nouveau. Donc là c'était l'effet inverse, il y avait toujours cette lumière, mais elle diminuait au point de redevenir cette minuscule petite lueur du début. Et puis le vide complet. Je me suis ressenti dans le même passage, et puis des choses plus matérielles apparaissaient. Le sentiment d'être à nouveau sur la terre. J'ai revu l'hôpital, j'ai traversé les murs, jusqu'au point de revoir mon corps du plafond. Je me rappellerais toujours la manière dont je l'ai réintégré. Je descendais vers lui lentement, et puis le grand plongeon, et tout de suite après, une fois dans mon corps physique, une énorme inspiration, comme un apnéiste qui remonte à la surface après un certain temps sous l'eau. »

Les deux jeunes femmes se regardent succinctement et se comprennent immédiatement. Rien désormais ne les éloignera de cette enquête. Lula, toujours préposée au dictaphone inspire lentement avant de s'adresser à l'homme qui vient de leur raconter son histoire et qui se trouve en face d'elle, un petit sourire aux lèvres. Simple.

— Est-ce que cette expérience a changé votre vie ?

— En profondeur, je dirais. C'est même plus que ça. Je ne vis plus pour les mêmes raisons. Quand j'ai eu cet accident de voiture, je revenais de boîte de nuit et j'étais en état d'ébriété. J'étais seul fort heureusement, mais ma vie avant cet épisode ressemblait à la vie de n'importe quel jeune de vingt ans. Une vie remplie de futilités, enfin, je mets ce mot aujourd'hui car je n'ai plus le même état de conscience qu'avant, et je ne critique pas non plus la jeunesse qui s'amuse, mais j'ai compris que la vie que je vivais, je ne devais pas la vivre que pour moi. Rien ne me rend plus heureux que de rendre heureux les autres maintenant. C'est une chose toute simple, et la simplicité fait défaut dans nos vies.

— Vous sentez-vous obligé de vivre ainsi ?

— Pas du tout. Je vis ainsi car cela m'apporte du bonheur.

— Avez-vous ramené quelque chose de ce savoir universel ?

— Oui, la certitude d'avoir su tout sur tout. Je ne me souviens pas des questions que je me suis posées ni des réponses que j'ai eues, mais j'ai appris d'elles, comme une morale, et cette morale dicte ma conduite aujourd'hui.

Livia reprend :

— Que pensez de l'avis de l'instance médicale, qui dans sa grande majorité ne cesse de discréditer des gens comme vous et attribue ces phénomènes à une réaction chimique cérébrale ?

— Déjà, je ne leur en veux pas. Je pense que la peur de l'inconnu y est pour beaucoup dans leurs affirmations, et il ne faut pas brusquer des gens qui ont peur. Que voulez-vous savoir ? Si j'ai de la rancœur pour ces gens ? Je n'en ai plus pour personne, et de toute façon je sais que ce que j'ai vécu est bien réel, alors à quoi bon forcé des gens à y croire alors qu'ils ne veulent même pas l'entendre ? Ils le verront bien par eux-mêmes tôt ou tard. C'est du moins ce que je souhaite à chacun.

L'homme âgé d'une quarantaine d'années maintenant dégage un sentiment de paix autour de la table. Sa pureté intérieure touche les deux jeunes femmes au plus profond de leur âme, et alors que l'interview touche à sa fin, Livia pose une ultime question, comme soudainement apparue essentielle pour elle.

— Est-ce que votre expérience est similaire aux autres ? Enfin, vous avez dû rencontrer d'autres gens comme vous, alors les grandes lignes sont-elles communes ou y'a-t-il des choses sur lesquelles vous apprenez les uns des autres ?

— La lumière revient toujours. Cette lumière blanche divine et éclatante, impossible à reproduire sur terre tellement elle est puissante. Le sentiment de bien-être aussi, et surtout cet amour inconditionnel.

— Et sur cet état de conscience du savoir universel ? L'homme se redresse avec un sourire.

— Vous voulez savoir si d'autres ont ramené quelque chose c'est ça ?

— Oui, par exemple.

— Demandez-leur, mais j'ai entendu des choses à ce sujet assez surprenantes.

— Quels genres de choses ?

— Je ne parlerais pas au nom de quelqu'un, d'autant plus que je n'ai jamais rencontré d'expérienceur ayant ramené quelque chose de cet état de conscience. Je vous l'ai dit, j'en ai eu vent. C'est tout.

Livia insiste en souriant.

— Moi, j'ai entendu une histoire là-dessus. Une femme de ménage qui a fait une E.M.I est revenue avec un don. Alors qu'elle n'avait jamais approché un piano de sa vie, elle devint virtuose du jour au lendemain après son expérience…

— J'ai entendu cette histoire moi aussi, mais vous connaissez les histoires… Rien ne me surprend maintenant, mais ce n'est qu'une histoire. Si j'avais cette femme en face de moi, elle n'aurait pas besoin de parler pour que je sache instantanément si cela est vrai ou pas. Nous nous reconnaissons entre nous.

— Si vous en avez entendu parler, vous savez peut-être aussi où nous pourrions la trouver.

— Aucune idée, et pour honnête, il y a tellement d'histoires comme celle-là... Ce que je veux dire, c'est qu'il y a malheureusement des gens qui en font commerce. S'approprier des faits et des évènements comme des récits d'expériences de mort imminente pour ensuite les romancer, les enjoliver dans le but de légitimer une fonction de médium par exemple est monnaie courante depuis quelque temps. Ne vous laissez pas embobiner, quoi.

Lula se lève la première, comme pour signifier à Livia que le temps était vraiment venu de laisser cet homme tranquille. Elles le remercient chacune leur tour avec de longues et lentes poignées de mains pleines d'amplitude, ponctuées de chaleureux remerciements. Un soupçon de tendresse aussi. L'homme garde son sourire jusqu'au bout, dégageant ce bonheur et l'offrant volontiers à qui veut le prendre, puis les raccompagne jusqu'à l'entrée de sa propriété. Encore des signes de mains par les vitres baissées qu'il leur rend avec plaisir, puis l'homme les regarde s'éloigner dans la petite Seat jusqu'au bout de la rue, avant qu'elle ne tourne et disparaisse. Les deux journalistes sont rassasiées de réponses. Pour aujourd'hui seulement. Sans se parler, elles savent que cette rencontre vient de les propulser dans la dimension qu'elles recherchaient, comme si elle en était l'étincelle. Lula encore et toujours au volant pose une première question :

— T'as entendu beaucoup d'histoires sur des expérienceurs qui revenaient avec un don toi ?

— Quelques-unes oui, mais comme il dit ce ne sont que des histoires. Le coup de la bonne qui joue du piano comme personne, ça a été tellement médiatisé que c'est probablement un fake.

— Et tu penses que ton grand-père peut nous en apprendre là-dessus ?

— Je pense que oui, c'est peut-être ça son secret.

— Bah, s'il nous refile des contacts de gens comme ça j'espère que c'est vrai et pas du fake.

— Oh… Quand mon grand-père m'a dit qu'il me donnerait toutes les grandes lignes de son travail à l'époque… Crois-moi ça doit valoir le coup.

— Excuse-moi, je ne voulais pas te vexer. C'est vrai que ton grand-père, même si je ne le connais pas, je connais la légende alors oui ça doit valoir le coup. Ça va valoir le coup. Mais il a bossé dessus en quelle année d'ailleurs ?

— De 1985 à 1987.

— Et il a pris sa retraite à quel âge ?

— En 87, il avait soixante et onze ans. Il a arrêté après ça, du moins sur le terrain.

— Mais aujourd'hui, il te demande de reprendre la suite ? Comme s'il n'avait pas fini ?

T'avais quel âge à l'époque ?

— Douze ans. Quand je suis rentrée à la fac, j'en avais dix-huit, et c'est là qu'il m'a dit que je reprendrai l'enquête. Il a dit qu'il me donnerait tous ses travaux et que je devrais finir ce qu'il a commencé, alors je lui ai posé la question que toi aussi t'as envie de me poser, pourquoi ne l'avait-il pas fini lui-même ? Il m'a répondu que l'histoire devait se dégonfler avant qu'elle ne livre toute sa vérité, et que dix ans était une durée raisonnable. Ne rien brusquer, il me l'a répété plusieurs fois.

— Et tu veux toujours voir un physicien ?

— C'est lui qui veut, enfin il ne me l'a pas dit par télépathie dans la voiture je te rassure, tu sais quand j'ai fait mon cauchemar, mais il me l'a dit il y a quelques années et je m'en suis rappelé. À l'époque, il m'avait dit un truc du genre « La physique pourrait expliquer bien des choses là-dessus ». On ne va pas tarder à être fixées de toute façon. Je l'appelle et lui dis qu'on arrive.

Livia prend son téléphone portable et constate qu'elle a eu trois appels en absence lorsque celui-ci était en mode silencieux durant l'interview.

— Eh bien ça y est… Jonathan a appelé une fois et mon frère deux… pas de message. Elles se regardent en souriant. Tout commence, même les emmerdements se disent-elles. Lula lâche une main du volant pour examiner son propre téléphone et lance sur un ton amusé.

— C'est moi qui gagne… Jonathan six fois. Bon, qu'est-ce qu'on leur dit ? On était à Porto dans un hospice du coin, le meilleur du pays… Non, le seul qui propose à ses petits vieux d'aborder la mort avec un psy dans le but de les apaiser… Non, c'est con ce que je dis… Aide-moi ! Qu'est-ce qu'on raconte comme bobard ?

— Pourquoi tu veux raconter des bobards ? On dit la vérité c'est tout.

— T'es conne j'te jure.

— Non je rigole, laisse-moi faire, mais c'est pas mal ton idée d'hospice un peu précurseur pour les vieux, je vais tenter un truc comme ça avec Jonathan.

Lula alterne les rires étouffés et les exclamations muettes, impressionnée par le bagou et l'improvisation de Livia quand celle-ci mène Jonathan par le bout du nez au téléphone. Au total, un échange de près de cinq minutes sans vacillement de voix, assaisonné de fausses petites anecdotes personnelles entre les jeunes femmes, comme pour passer plus de temps à décrire l'ambiance et l'entente dans ce couple fraîchement formé plutôt que sur le fond et la raison de sa formation. « Maintenant, mon frère », soupire Livia juste aussitôt après avoir raccroché. Lula peut enfin rire aux éclats, la tête collée sur le volant. Elle se reprend et regarde Livia les larmes aux yeux, des larmes de rire.

— Alors comme ça je pète au lit ! ça va faire le tour de la rédac ta connerie !

— C'est très bien comme ça. Miss je me la pète avec mon nom et miss pète au lit font équipe et arpentent les hospices du Portugal. Superbe si ça fait rire tout le monde. Tout ce qu'on veut c'est qu'ils y croient ! Et désolée pour tes problèmes gastriques.

Lula rit de plus belle. En la voyant, Livia fait mine de fouiller dans son sac.

— Je crois que j'ai un truc à te filer, enfin un cachet contre les ballonnements… Les deux rient aux éclats, Lula agonisante sur son volant.

Des rires, un grand soleil et une route dégagée non seulement sur la voie rapide mais aussi dans leur quête. L'alibi donné à Jonathan persuade Livia qu'il n'est pas nécessaire d'appeler son frère, les deux étant forcément en contact. Un seul coup de téléphone pour son grand-père, et le rendez-vous est aussitôt prévu dès leur arrivée à Lisbonne. Elles vont enfin savoir. En attendant, Livia somnole.

***

— C'est vrai papy que tu vas arrêter ?

— Oui ma chérie… J'ai soixante et onze ans, et ça fait cinquante-deux ans que je fais ça.

— On est en 1987, alors… Oui, t'as commencé en trente-cinq. Tu sais encore compter, t'as pas Alzheimer pourtant ! Mais tu vas faire quoi maintenant ?

— La même chose, mais de la maison. Pas besoin de prendre l'avion et de questionner des gens pour faire ce métier, enfin la plupart du temps oui, mais il y a aussi un travail de documentation et j'ai tous les livres qu'il me faut pour ça, au pire je les achète.

— Et tu vas travailler sur quoi ?

— T'es de la police ? Journaliste peut-être ?

Livia sourit. Sa petite frimousse d'adolescente de douze ans aux joues rouges ne dégage que de l'innocence.

— Je suis journaliste comme toi et papa.

— Alors, dans ce cas montre-moi ta carte !

Il la prend dans ses bras en riant et l'embrasse sur le front avant de reprendre :

— Je travaille sur le paradis ma chérie, là où on ira tous ! Mais tu sais, c'est un gros travail qui risque de durer longtemps, alors si vraiment tu deviens journaliste un jour tu travailleras dessus aussi si tu veux, je t'aiderai.

— Tu y crois toi papy au paradis ?

— Quelle question ! Toi tu n'y crois pas ? Bien sûr que le paradis existe ma chérie, j'en ai même la preuve… lui répond-il dans un sourire.

— C'est quoi ta preuve ?

— Eh bien elle est dans mon cœur, tout simplement. Ce n'est même pas que j'y crois, je le sais. Pour toi aussi ce sera pareil, tu verras. Ce sentiment est encore plus fort que la certitude. On le sait, c'est tout.

— Et alors tu fais quoi comme travail sur le paradis ?

— J'essaye de comprendre le lien qu'il y a entre la vie et la vie au paradis. Ce passage entre les deux regorge d'informations qui peuvent nous aider à mieux vivre notre vie sur terre, à mieux la comprendre, mais ne t'inquiète pas pour ça pour l'instant. Fais tes études, deviens une grande journaliste et je t'expliquerai tout ça ma chérie.

***

Lula se gare face à une villa et coupe le moteur. Elle caresse lentement la joue de Livia pour la réveiller en douceur, puis lui sourit dès qu'elle ouvre les yeux.

— Qu'est-ce que tu peux dormir toi, c'est incroyable… On est arrivées, enfin je crois que c'est là non ?

Livia regarde devant elle et s'étire en grognant.

— Ouais super… Je suis désolée de te laisser conduire à chaque fois… Tu dois en avoir marre, et puis me voir roupiller tout le temps comme une larve…

— Tant que tu ne te réveilles pas en me sautant dessus ça va, et puis j'adore conduire.

Sur le balcon de la villa se trouve un homme debout, les mains fermées sur le garde-fou, il fixe la voiture. Livia sort la première. Elle fait signe à Lula de la suivre puis lève les yeux et salue son grand-père. Le temps de rentrer dans la propriété et de marcher jusqu'au perron, celui-ci est descendu et leur ouvre la porte. Il prend Livia dans ses bras.

— Qu'est-ce que t'es belle maintenant !

— On s'est vu la semaine dernière papy.

— Eh bien tu es encore plus belle que la semaine dernière !

Il desserre son étreinte et se place face à Lula. Il la prend dans ses bras et l'embrasse.

— Heureux de te rencontrer enfin ma grande, même si on s'est déjà parlé au téléphone.

Il la tient maintenant par les épaules et la regarde comme si elle était sa propre petite fille. Lula tente de contenir ses émotions, puis finit par ravaler un sanglot dans un sourire gêné.

— C'est un honneur, monsieur, vraiment. Vous n'imaginez pas ce que cette rencontre représente pour moi, et en plus vous me venez en aide…

— Si tu veux que je te vienne en aide, commence par m'appeler papy, ou Marcelino, et surtout tu arrêtes ton vouvoiement compris ?

Lula rit, un rire mêlé à des larmes de joies. Marcelino les regarde alternativement, toujours avec ce sourire naturel puis rentre dans le vif du sujet.

— Bon, les filles… dit-il en hochant la tête et les lèvres pincées. Si ça commence déjà avec des pleurs… Bref, vous n'êtes pas au bout de vos émotions, alors je vous laisse le temps d'arriver, d'ailleurs on a tout le temps qu'on veut. Vous prenez une douche si vous voulez et après on mange dans la véranda, et là je vous montre tous les dossiers. Y'a des saucisses et de la salade, tout ce qu'il faut, alors on va se poser tranquillement et aborder les points un par un.

Livia fait signe à Lula de la suivre jusque dans la salle de bain. Elle embrasse encore une fois son grand-père avec élan, puis les deux femmes empruntent l'escalier.

Livia prend une douche. Lula, qui vient d'en sortir, sèche ses cheveux devant le miroir et constate que ses yeux sont encore un peu rouges.

— Je ne m'attendais pas à autant de simplicité quand même, lance-t-elle à Livia en donnant un peu de voix pour couvrir la pression de l'eau.

— C'est ce qui a fait son nom et sa réputation, en plus des grands sujets qu'il a traités. Il a toujours été simple. Rien à voir avec mon père et encore moins avec mon frère, répond Livia en sortant de la baignoire.

Elle s'approche de Lula une serviette sur la taille.

— Allez, on va descendre maintenant, mais si tu veux des fringues je peux t'en prêter, j'ai ma propre chambre ici.

— Faudrait qu'on passe chez moi tout à l'heure mais je veux bien une culotte et des chaussettes... On est parties hier sans rechanges, ça me ressemble pas ça.

— Ah, lui il pourrait te dire qu'il a fait trois semaines en Angola sans même une pièce d'identité... Juste un stylo et un carnet de notes. On est des petites joueuses lui répond-elle avec un sourire.

Elles redescendent ensemble, Livia la maîtresse de maison en tête. Arrivées dans le salon, elles l'aperçoivent déjà assis à la table de la véranda, il les regarde s'approcher, toujours avec ce sourire paternel et la main droite posée sur une pile de dossiers.

— Asseyez-vous les filles !

Il retire sa main, laissant apparaître sur le premier une inscription au stylo bille.

« Services Secret Norvégien 1986 ».

Le regard des deux jeunes femmes s'y pose aussitôt. Marcelino reprend :

— Les filles, je suis sûr que vous déjà entendu parler de ces expérienceurs qui revenaient avec quelque chose, un don ?

Leurs cœurs s'emballent déjà. Deux petits oui, comme pour l'autoriser à poursuivre.

— Ce n'était que des récits, et bien voilà que les gouvernements s'en mêlent, enfin au moins trois, et de manière officielle.

Il prend le premier dossier qu'il pose sur la table, laissant apparaître le second « Services Secret Indien 1986 » puis continue jusqu'au troisième « Service Secret Australien 1987 »

— Comme je vous le disais, au moins trois gouvernements dans le monde ont pris ce phénomène au sérieux, enfin suffisamment pour mettre leurs services secrets dans le coup. Au total, ce seraient plusieurs dizaines de gouvernements à travers le monde qui en auraient fait de même, et ce dans une période bien précise, entre 1986 et 1987. C'est une hypothèse de départ, mais on peut penser d'un premier abord que le gouvernement américain, ou Russe, avait décidé à l'époque d'aborder l'EMI pour en apprendre davantage sur la chose… Bon, pourquoi pas ? Pour des fins militaires par exemple, aussi bêtes soient-ils… Alors si les gouvernements de pays aussi puissants et influents qu'eux s'en donnent la peine, il est logique d'imaginer que d'autres pays plus petits en prennent connaissance avec leurs propres services de contre-espionnage et en fassent de même. Comme des moutons…

En vieil humaniste, il rit de bon cœur, ne cachant pas son mépris pour les armes et les institutions militaires puis reprend.

— Cette hypothèse expliquerait la réaction en chaîne, la frénésie d'enquêtes de toutes ces nations sur les E.M.I… Mais pour ces trois pays au moins, l'Australie, la Norvège et l'Inde, il y a eu des cas concrets d'expérienceurs qui sont revenus avec quelque chose, quelque chose qui leur a fait peur et c'est ce qui a motivé leur enquête. Apparemment, il y aurait beaucoup d'autres États comme ces trois-là, qui partagent mêmes des informations entre eux via leurs ambassades et travaillant en synergie.

Toujours entre 1986 et 1987. Au départ, et vu que les États-Unis étaient aussi touchés par le phénomène, l'ombre des Russes planait au-dessus de tout ça, mais les Russes eux aussi étaient touchés. Alors évidemment, les Américains ont pensé que les Russes, tout en étant responsables, avaient aussi inventé ce genre d'histoires sur leur propre territoire dans le but de se disculper, et puis les Russes ont pensé la même chose des Américains... La guerre froide quoi... Mais très vite, il s'est avéré que le phénomène n'était le produit d'aucun gouvernement en particulier, comme une arme secrète semant le trouble parmi les populations dans le but de créer des mouvements de masses. Il n'y eut d'ailleurs aucun mouvement de masses, nulle part dans le monde, et ces histoires ont toutes étaient étouffées, masquées, les témoins manipulés et désinformés pour finir.

Les jeunes femmes se regardent incrédules. « C'est quoi ce truc ? » Marcelino reprend :

— Je sais que vous ne vous attendiez pas à ça... Le fait est qu'un nombre conséquent de gens, et ce tout autour de la planète et dans une période rapprochée, ont fait des expériences de mort imminente d'une part, semblaient être connectés entre eux et se sont manifesté de façon extraordinaire.

Marcelino se lève et se dirige vers la cuisine, les laissant seules accuser le coup.

Elles se regardent encore puis Lula ouvre le dossier se trouvant devant elle, celui sur les services secrets australiens. Les deux paires d'yeux le parcourent sans un mot, les respirations haletantes. Marcelino revient, avec un grand plateau qu'il pose sur la table. Plusieurs assiettes de petites choses à grignoter, une bouteille de Porto, trois verres et un paquet cadeau de la taille d'un livre. Il reprend la parole.

— Ah, vous lisez le rapport sur la nana en Australie, c'est incroyable ce qu'elle a fait... mais c'est pas la plus bluffante.

— Qu'est-ce qu'elle a fait ? demande Livia.

— Imagine un centre commercial bondé, un samedi matin et à l'heure de pointe. Ensuite, visualise les gens qui font la queue aux caisses, des files interminables et soudainement, une femme se met à léviter. Elle survolera la totalité des caisses en l'espace de deux minutes, surplombant une foule médusée... Ça s'est passé dans la banlieue d'Adelaïde, le 9 août 1986. En plus, elle avait sa petite célébrité en Australie, elle présentait un talk-show ou quelque chose dans ce genre.

— Mais c'était un tour de passe-passe peut-être ?

— C'est ce que les autorités ont fait croire aux témoins, oui, mais ils n'ont toujours pas trouvé le truc si c'est le cas. Il n'y a pas de truc en fait. La jeune femme a été conduite à l'abri par un haut service de l'État, du genre des fonctionnaires de l'ombre comme il en existe dans tous les pays et elle a réitéré la chose dans un endroit fermé, entre quatre murs de bétons armés. Un genre d'abri atomique quoi. Elle n'a jamais pris la parole, pas une seule fois. Ensuite, ça s'est passé comme pour tous les autres, elle est revenue à elle au bout de quelques jours sans aucun souvenir de ce qui s'était passé. Elle avait eu un accident de voiture et fait une E.M.I environ un mois avant cette démonstration. Comme tous les autres dans le monde. Des accidents, des crises cardiaques, des méningites... Je n'ai pu me procurer que trois dossiers officiels, mais comme je vous l'ai dit ils sont plusieurs dizaines dans le monde.

— Ils ont tous lévité alors ?

— Oh non ! Il y a bien plus surprenant... Regarde le rapport Norvégien, lui aussi officiel je te le rappelle...

Livia ouvre le dossier Norvégien pendant que Lula ouvre l'Indien. Elles lisent silencieusement, levant la tête de temps en temps, les yeux écarquillés sous le regard de Marcelino qui débouche la bouteille de Porto et sert trois verres. Il attend qu'elles aient fini leur lecture pour lever le sien, puis elles prennent chacune le leur en faisant de même, abasourdies.

Marcelino boit d'une traite alors qu'elles ne font que tremper leurs lèvres, toujours hagardes par ce qui vient de leur exploser à la figure. Livia replonge son attention dans le dossier Norvégien puis regarde son grand-père sans un mot. Inutile de parler, l'expression de son visage en dit long et une simple question se devine sur ses traits.

« C'est vrai ? » Marcelino lui répond.

— Norvège, Oslo, le 28 juillet 1986. Nina Johannsen, c'est une artiste peintre connue dans son pays. Ils ignoraient au début si c'était elle qui avait coupé l'électricité de la ville, mais en tout cas elle s'est servie du black-out pour s'introduire dans la résidence officielle du Président qui pourtant était gardée par l'armée comme une forteresse. La coupure aura duré cinq minutes. Seulement cinq petites minutes... Et lorsque l'électricité est revenue, elle se trouvait dans la chambre du Président. Lui dormait, enfin il s'est réveillé au moment où la lumière est apparue, et en voyant Nina il a immédiatement prévenu la garde. Il y avait sur un mur entier de la chambre une incroyable peinture encore fraîche d'un ciel étoilé... En son centre, une constellation. Une impeccable reproduction, et dans les moindres détails concernant les distances, les tailles et les couleurs. Plusieurs milliers de petits points plus ou moins gros, très brillants ou juste scintillants. Aucune erreur, les astronomes étaient formels. Nina Johannsen avait fait une E.M.I environ deux mois plus tôt, lors de son accouchement. Une hémorragie interne, un arrêt cardiaque et un électroencéphalogramme plat pendant environ deux minutes.

C'est maintenant Lula qui prend la parole, sans trembler et avec beaucoup d'assurance, comme si elle venait de passer le cap de l'incompréhension et redevenait une jeune journaliste assoiffée de scoops.

— De ce que je viens de lire sur le cas Indien, enfin j'ai survolé les grandes lignes, il s'agit d'un gamin de quatorze ans qui plonge dans une fontaine publique et fige les gouttes d'eau comme de la glace, c'est bien ça ?

— Oui. Enfin ce n'était pas comme de la glace, c'était de la glace. Toujours beaucoup de témoins, ça aussi ça revient souvent, comme s'ils cherchaient tous à toucher un maximum de personnes, et… les rares fois où ce n'est pas en présence de la foule, c'est sous les yeux d'une personnalité politique, influente, comme en Norvège avec le Premier ministre. Bref, le gamin saute à pieds joints dans une fontaine publique d'un mètre trente de profondeur, et lorsqu'il touche l'eau, il reste figé, en suspension, et l'eau du bassin ainsi que les éclaboussures qu'il provoque se transforment en glace. La température extérieure était de trente-sept degrés. Un touriste étranger a immortalisé la scène, puis vingt secondes plus tard l'eau revenait à l'état liquide et l'enfant terminait sa chute comme si de rien n'était. Comme les autres, il avait fait une E.M.I quelque temps auparavant, renversé par un bus.

Marcelino prend le petit cadeau sur le plateau et le dépose devant Livia avec un sourire.

— Pour ton entrée en journalisme ma chérie.

Livia reste assise, elle ne pourrait pas se lever de toute façon, tellement choquée par ce qu'elle vient d'entendre et lire. Elle prend le paquet en main et l'examine sous toutes ses faces, le soupèse et rend son sourire à Marcelino.

— C'est quoi ?

— C'est un cadeau ma chérie…

« Mais quel est vraiment le cadeau ? Ce paquet ou ce qu'il vient de nous révéler ? » Se demande Livia. Elle l'ouvre et découvre une boîte en ébène. À l'intérieur, un stylo plume en or.

— Mais c'est ton stylo ? s'exclame Livia.

— Plus maintenant. Il en a vu des articles ! Du pays aussi… Maintenant, c'est à ton tour de le faire voyager.

Il se retourne et prend une enveloppe dans la poche intérieure de sa veste. Il l'ouvre et en sort deux autres documents d'un blanc brillant. Il en pose un devant chacune.

— Vos billets d'avion mes chéries.

Simultanément, elles s'en emparent et soulèvent lentement le rabattant pour découvrir leur destination.

— C'est vrai ? Rome ? lance Lula avec des trémolos dans la voix. Livia la regarde stupéfaite et lui attrape son billet.

— Quoi ? Rome ? Mais moi je vais à Paris…

Elles se regardent, leurs deux visages blancs comme les pochettes de la compagnie aérienne. Marcelino reprend.

— Vous allez continuer, toutes les deux et chacune de votre côté. Je vais maintenant vous montrer le gros de mon travail. Il y a un expérienceur dans chacun de ces deux pays. En fait, il m'a fallu faire un choix car il existe d'autres pistes à creuser, d'autres pays où il y a eu des expérienceurs de la même trempe, mais j'ai pensé que pour ces deux-là il serait peut-être plus facile de remonter leur piste. En plus, vous y avez déjà des contacts. Tout est noté dans un calepin que je vais vous remettre, chacune le vôtre. Lula, toi tu vas au Vatican, et toi ma chérie tu ne vas pas à Paris, enfin ton avion atterri là-bas, oui, mais après tu prends un train pour la Bretagne.

Lula se met à pleurer. Pas à chaudes larmes, ni avec des spasmes incontrôlés, mais des larmes traduisant un trop plein d'émotions, tout cela en si peu de temps. Livia n'en est pas loin elle non plus, mais elle se retient, pas par pudeur devant son grand-père mais pour pouvoir lui poser une nouvelle question sans que sa parole soit déformée par son émotion.

— Et toi papy ? Tu fais quoi ?

— Moi ? Eh bien je reste ici pour couvrir le reste de votre sujet ! C'est ce que je t'ai dit la semaine dernière rappelle-toi… Les soins palliatifs, l'accompagnement des mourants, tout ça. Je retourne sur le terrain ! Je vous remercie d'ailleurs, toutes les deux, ça va me faire du bien.

Livia l'écoute très attentivement, mais elle connaît son grand-père et sent que quelque chose ne va pas. Elle le regarde un peu de travers, troublée par ce sentiment qui la gagne, comme une évidence qu'elle ne peut admettre, puis continue de le questionner.

— Et tu vas faire quoi alors ? Rencontrer des patients en soins palliatifs ?

— J'ai rendez-vous demain matin au service cancérologie de l'hôpital Santa Maria, et… bref, je vais là-bas et après j'improvise… J'écris un truc et je vous couvre quoi…

Livia dévisage son grand-père. Il sait qu'elle a compris, et il reprend avec un petit sourire résigné.

— J'ai bien rendez-vous demain matin, oui, et au service cancérologie de l'hôpital Santa Maria, oui, mais pour faire de nouveaux examens.

— T'as un cancer ?

— Généralisé ma chérie.

Cette fois, Livia s'effondre, en larme. Son grand-père la prend dans ses bras puis la secoue, toujours avec ce sourire figé sur son visage.

— Ma chérie ! J'ai plus de quatre-vingts piges, c'est un sacré score quand même, merde ! Allez, vois les choses du bon côté s'il te plaît, s'il te plaît reprends-toi ma chérie…

Il fait signe à Lula de les rejoindre. Il lève un bras et la laisse s'associer à leur étreinte. Tous trois sont maintenant soudés, Lula la dernière arrivée encore inconnue hier matin est touchée par la nouvelle comme si elle était sa propre petite fille. La propre sœur de Livia de fait. Plus que des reniflements, au bout de quelques minutes l'émotion est encore bien présente. Intacte. Pour ces professionnels familiarisés avec la mort comme eux, élevés à la certitude que cette fin n'en est pas une, en aucun cas, la violence de cette nouvelle ne fait que conforter le lien qui les unit, soudés les uns aux autres comme si le temps s'était arrêté.

— Eh, les filles, encore une fois j'ai pas votre âge… ça devait arriver un jour, et puis je suis passé tellement de fois si près de la mort, qu'aujourd'hui c'est un miracle de partir comme ça…

— Ils t'ont dit combien de temps ?

— Non, ils laissent planer le doute. Rien de catégorique en tout cas, comme s'ils pouvaient encore faire quelque chose… Je leur ai répondu que je croyais aux miracles, mais que cette fois-ci c'était la bonne. Alors moi je pense que six mois, déjà ce serait bien, enfin, six mois à tenir sur mes jambes et à pouvoir vivre comme je l'entends, hein, je n'ai pas envie de terminer en soins palliatifs. Voilà, je pense que c'est largement suffisant pour aller au bout de notre Graal, ce qui restera comme l'enquête de ma vie.

Les jeunes femmes se regardent et se comprennent au moment où tous se rassoient. « Six mois, ça ne passera jamais à la rédaction ». Marcelino reprend.

— Toi ma chérie, et toi aussi Lula, et même si je ne te connais que depuis quelques heures, vous n'êtes pas faites pour travailler dans un canard de seconde zone, un petit journal bon marché que seuls les usagers du métro et des trains de banlieue survolent le temps d'un trajet pour le boulot. Tout est arrangé, pour vous deux. Vous irez bosser au National Geographic aussitôt après l'enquête.

— Tout est arrangé ? Avec ton ami, celui de l'Angola ? s'exclame Livia

— Oui, celui-là, mais l'Angola c'était il y a trente ans. Maintenant, il est rédacteur chez eux et recherche des jeunes, alors c'est arrangé. Les places sont très chères, mais c'est arrangé. Il compte même sur vous pour que vous lui apportiez le fruit de vos recherches sur les E.M.I, c'était un peu le deal, enfin, il y aura un dossier complet sur les E.M.I dans un prochain numéro, votre travail à toutes les deux, mais aucun mot sur ce que je viens de vous dévoiler, ça, c'est entre nous, nous cherchons pour nous, et de toute façon, ce ne serait pas publiable, vous imaginez bien… Des rapports officiels de services secrets, toutes nations confondues… non, ce n'est pas jouable.

— Mais on est encore sous contrat avec Lisbonne minute ! On fait comment maintenant ? Pardon… merci pour ça, vraiment, merci pour tout… reprend Lula en reniflant.

— Ne vous inquiétez pas pour Jonathan, j'en fais mon affaire. Dans un premier temps, il ne faut rien lui dire, et puis je m'en charge de toute façon, je vous l'ai dit. Ne vous inquiétez pas pour ça. Prenez votre avion et foncez, mais avant je vais vous exposer plus en détail les pistes sur lesquelles je vous envoie.

— On part quand ? demande Livia.

— Demain matin.

Aéroport de Lisbonne, six septembre 1996, 8 h 12. Depuis la baie vitrée du terminal, Livia regarde le petit Airbus prendre son envol pour Rome. Le jeune tandem de journaliste est à peine formé, et voilà que leurs chemins se séparent déjà. Elle se dirige maintenant vers le restaurant des départs et ne cesse de palper dans sa poche le petit calepin que son grand-père lui a donné la veille, comme un guide touristique magique où sont notées toutes les informations ainsi que les contacts sur place. Elle le tient maintenant ouvert d'une main sur la table et remue son capuccino de l'autre, survolant les annotations dont certaines sont largement surlignées, comme « rechercher les camarades de classe » ou encore « questionner les anciens du service pédiatrique ». Elle le lira pendant toute la durée du vol jusqu'à le connaître sur le bout des doigts, tant et si bien qu'une fois ses bagages récupérés à l'aéroport de Paris Orly, Livia sait exactement par où commencer. Un taxi jusqu'à la gare Saint Lazare, puis le train comme ultime moyen de locomotion lui promettent une arrivée en fin d'après-midi. Après s'être assoupie une bonne heure sur son siège de 1re classe, Livia se rend au wagon-bar pour se restaurer. Dans un Français impeccable, elle commande un duo café croissant au serveur qui la félicite aussitôt.

— Votre accent vous trahit, votre teint mat aussi ! Mais bravo, vous vous exprimez très bien dans notre langue.

— Merci, je l'ai appris à l'école et comme j'aime le français j'ai poursuivi à l'université. J'avais une correspondante à Bordeaux, alors j'y suis allée à plusieurs reprises aussi.

— Vous êtes espagnole ?

— Non ! Insulte suprême… lui répond-elle avec un sourire espiègle.

— Ah pardon, alors vous êtes italienne peut-être…

— Portugaise, mais bon je vous l'accorde, c'est assez difficile de nous différencier.

— Et moi, d'où pensez-vous que je vienne ? lui demande le serveur.

— Si vous me posez la question, c'est que vous n'êtes pas Français d'origine, alors je dirais que vous êtes… allemand peut-être ? Je ne sais pas.

— Je suis breton, mademoiselle.

Livia avait entendu parler du nationalisme breton, mais elle était de toute façon aguerrie au concept d'indépendance et d'autonomie de certaines régions, comme la Catalogne et le Pays basque en Espagne, ou encore la Sardaigne en Italie.

— D'accord… Fortes têtes les Bretons m'a-t-on dit.

— Oulla ! Vous n'imaginez même pas lui répond-il dans un sourire.

Et que venez-vous faire dans mon pays ? Enfin, si ce n'est pas trop indiscret.

— C'est très indiscret ! En fait, je suis journaliste et je fais une enquête sur les disparitions d'enfants, et je sais qu'il y a dix ans un petit garçon de six ans a disparu dans votre région, enfin pardon, votre pays…

— Ah oui ? Sinistre votre travail… j'espère au moins que ce que vous faites sert à faire avancer la police sur les recherches. Et il était d'où le môme qui a disparu ?

— De Saint-Brieuc.

— Ah, je ne connais pas trop cette ville. Moi je suis de Nantes. Mais alors vous allez voir la famille et vous allez leur poser des questions ?

— Oh non, je laisse les familles tranquilles, ils doivent suffisamment souffrir, même dix ans après. Je me rends au commissariat de police et je demande confirmation qu'il y a bien eu disparition d'une part, et ensuite j'essaye d'en savoir plus sur l'enquête en cours. Enfin pour ce cas précis cela fait plus de dix ans, alors ça risque d'être compliqué.

— Et vous vous déplacez uniquement pour ça ? Ah, il n'y a peut-être pas encore le téléphone au Portugal...

— Ah, vous, vous ne connaissez pas grand-chose au métier de journaliste. Tout ne se règle pas par téléphone, il y a l'enquête de terrain, la déduction, le feeling...

— Donc vous avez l'esprit malin ?

— En tant que journaliste, il le faut. C'est même la principale qualité du journaliste.

— D'accord, dans ce cas, pouvez-vous me situer Nantes sur la carte ?

— Bien sûr, c'est à environ deux cent cinquante kms plus au sud et à l'est, et c'est là que vous habitez n'est-ce pas ? Vous venez de me le dire ?

— Très bien ! Eh oui, je vous ai dit que j'habitais à Nantes... Maintenant, dites-moi où êtes-vous monté dans ce train.

— Eh bien... à Paris, bien évidemment.

— Et quel est son terminus ?

— St Brieuc, vous le savez mieux que moi, vous faites ce trajet tous les jours pour votre travail !

— Justement. Pensez-vous que tous les soirs après le boulot je refasse trois cents kms pour rentrer chez moi à Nantes ? J'habite à Saint-Brieuc, mieux j'y suis né.

— Ah d'accord, vous m'avez menti, vous n'êtes pas de Nantes. Et après ? Moi personnellement je m'en fous, je garde mes cellules grises pour résoudre d'autres énigmes, vous savez.

— J'aurais pu vous aider, c'est tout. Je connais parfaitement Saint-Brieuc et sa population, mais vous me paraissez bien arrogante finalement, alors je vais vous laisser avec votre esprit de déduction.

Livia sourit et répond dans un gloussement :

— Ça, c'est une technique de drague typiquement française, alors comme breton pure souche vous repasserez !

Il lui rend son sourire puis lui tend sa main droite qu'elle serre en hésitant.

— Moi c'est Yohan, enchanté, et vous savez, la Bretagne et les Bretons en particulier ont leur propre technique de drague, mais avec moi vous n'avez rien à craindre, je suis marié.

— Me voilà rassurée ! lance-t-elle en lui lâchant la main avant de reprendre. Moi c'est Livia. Alors maintenant, en quoi pouvez-vous m'être utile ?

— Je sais que vous êtes venu jusqu'ici pour enquêter sur le gamin qui a tué un ministre, alors avant de vous jeter sur le premier venu avec vos questions toutes faites, je vais juste vous donner quelques conseils.

Livia est prise au dépourvu. Yohan sourit de plus belle en voyant son visage pâlir, puis reprend :

— Vous croyez quoi ? Saint-Brieuc c'est pas très grand, et cette histoire, ça a fait du bruit à l'époque.

— Qu'est-ce que vous savez de cette histoire ?

— La même chose que tout le monde ici, un gamin de six ans qui se retrouve seul avec un ministre et qui le tue, enfin, pas avec ses mains, mais de façon magique… Personnellement, je sais que ce sont des conneries, parce que j'ai jamais cru à la magie ou aux pouvoirs surnaturels, mais c'est l'histoire qui est restée depuis toutes ces années.

— Comment ça s'est passé exactement ?

— Pour une journaliste qui est censée enquêter sur le sujet, vous ne savez pas grand- chose dites donc… répond Yohan d'un ton ironique.

— Je connais l'histoire, oui, mais racontez-moi la vôtre, enfin, celle qui se dit et qui est entrée dans la postérité, un peu comme une légende.

Yohan s'occupe d'un client puis invite celui-ci à s'asseoir dans le wagon le temps de préparer sa commande. À nouveau seul avec Livia, il la regarde et se lance.

— Eh bien il y a dix ans environ, le ministre de l'Éducation est venu en visite dans une école primaire, et il a voulu discuter avec un élève, et… en fait, ce qui fait que cette histoire devient vraiment bizarre, c'est que beaucoup de gens dans la région disent que c'est le gamin qui a voulu discuter avec lui, et il l'aurait entraîné dans une salle de classe vide pour lui dire un secret… Vous savez, les gosses ils ont des secrets, alors ils les disent à une personne ou deux, ils vous entraînent à part et vous chuchotent un truc dans l'oreille, c'est un truc de gosse quoi, et là apparemment c'est comme ça que ça s'est passé, il aurait dit au ministre qu'il avait un secret à lui dire et le ministre a joué le jeu, il a souri et il est entré dans la classe avec le gosse… Mais dans la classe, il a fait une attaque ou je sais pas quoi, enfin un malaise, et il est mort. Bref, ce qui fait que cette histoire reste comme un cas vraiment surprenant, c'est que le type a clapsé d'un truc banal, d'accord, mais pile au moment où le gamin l'a entraîné à l'écart, et puis c'était un ministre aussi, hein, c'était pas le péquenot du coin dont tout le monde se fout !

— Et sur la disparition du gamin, qu'est-ce qui se dit ?

— À votre avis ? C'est vrai que c'est aussi ça qui rend l'affaire bizarre...

— Je ne sais pas, j'ai pas d'avis, répond Livia.

— Eh bien moi, et beaucoup de gens aussi, on pense que les parents ont fait croire à la disparition du gosse pour le protéger, voilà tout. Parce qu'une histoire comme celle-là... Enfin je veux dire, d'abord il tue un ministre et ensuite il disparaît, comme si sa mission était accomplie ? Non, non... Les parents ont monté ce bobard avec l'aide de la préfecture c'est tout. Après, c'est vrai que ça la gonfle encore plus cette affaire, mais c'est un truc tout simple à la base, voilà, faut pas chercher plus loin : un ministre visite une école, un gamin veut lui dire un secret, il joue le jeu et s'isole avec lui et là le type fait une attaque. Ensuite, les rumeurs vont bon train et on fait croire aux gens que le gamin a disparu, c'est tout.

Livia s'assoit sur le tabouret. Elle prend une grande inspiration. Je ne suis même pas encore arrivée que déjà je tombe sur quelqu'un qui m'apprend des choses se dit-elle.

Elle réfléchit puis pose une nouvelle question à Yohan.

— Mais à ce moment-là, pourquoi faire croire à une disparition ? Je veux dire, si vraiment la préfecture, enfin si cette machine d'état est complice de cette fausse disparition, il aurait été plus simple pour elle de faire déménager la famille dans une autre région vous ne croyez pas ? Le père était gendarme, alors ça aurait été plus facile, et puis l'affaire n'aurait pas pris ce volume, non ?

— Je ne sais pas. Vous m'en demandez trop ! Je vous ai dit ce que je savais, après je n'ai pas fait de cette histoire l'enquête de ma vie, vous savez.

— Et justement, connaissez-vous des gens qui pourraient m'en dire davantage ?

— Vous en dire davantage je ne sais pas, mais vous donner des versions encore plus zinzins, oui ! Ici, on a la forêt de Brocéliande, avec les sorcières et les animaux magiques, les légendes et les rituels sacrés, alors les illuminés c'est pas ce qui manque dans notre patelin !

Livia sort son calepin et cherche discrètement une annotation. Aussitôt trouvée, elle questionne une nouvelle fois Yohan.

— Connaissez-vous l'hôpital Bel-Air ?

— Évidemment, c'est le seul de la ville. Je peux même vous en donner les plans si vous voulez, casse-cou que j'étais, j'y ai fait plusieurs passages étant jeune…

— L'adresse me suffira, ça ira lui répond-elle avec un sourire poli.

Le voyage touchant à sa fin, Livia pense à retrouver son siège afin de récupérer son sac. Une nouvelle poignée de main avec Yohan dont elle est cette fois-ci à l'initiative, accompagnée d'un large sourire et de chaleureux remerciements viennent clore cet improbable échange de vingt minutes. Je ne pouvais pas mieux commencer se dit maintenant Livia en descendant du train.

Elle s'installe dans un hôtel familial du centre, juste à côté de la gare et près des transports en commun. Il y a dans l'air de cette petite ville un parfum de convivialité, comme un grand village de quelques milliers d'habitants où tout le monde se connaît, au moins de nom. Elle pose son sac sur le lit double de sa chambre et ouvre la fenêtre. Elle contemple le paysage qui s'offre à elle, pas d'arbres ni de rivière, mais quand même et toujours cette proximité apparente entre les habitants qui vont et viennent sur les trottoirs pavés. Elle avait récupéré le plan de la ville à la réception de l'hôtel et le dépliait maintenant sur le grand lit. L'hôpital et l'école primaire sont ses prochaines destinations. Elle ouvre le petit calepin et tourne les pages jusqu'à s'arrêter sur un dessin. Elle reste allongée à le contempler, puis le dépose sur sa poitrine en fermant ses paupières. Elle les rouvre brutalement et se fait violence pour maintenir ses yeux dans la lumière, mais ses paupières retombent par saccades sans qu'elle ne puisse résister.

Livia s'assoit sur le rebord du lit et expire lourdement en plongeant sa tête dans ses mains. Un coup d'œil sur le radio-réveil. 3 h 37. Le petit matin. Elle s'était endormie tout habillée sans prendre de douche ni même manger. Elle se lève et se dirige encore vers la fenêtre. Aucun signe de vie cette fois-ci, et les seuls passants qu'elle aperçoit au bout d'un moment sont deux chats se courant après. Elle se baisse près du lit et ramasse le petit calepin puis l'ouvre à la page du dessin, celui sur lequel elle s'était laissé aller dans les bras de Morphée. Une belle reproduction d'un torse d'homme, probablement réalisé par un doué du coup de crayon. Impossible que son grand-père en soit l'auteur se dit-elle. Sur ce torse légèrement poilu, un V est bien visible, et comme pour appuyer cette lettre, ce qui s'apparente au premier regard à des points de suture vient lui donner un caractère gothique. N'importe quel chirurgien cardiaque reconnaîtrait là la trace d'une greffe récente, mais il s'agit précisément de l'inverse. Lorsqu'un cœur est prélevé, le torse du donneur n'est pas refermé avec autant de minutie, car destiné à l'inhumation ou à la crémation. Le receveur lui, bénéficie de ce savoir-faire et de cette précision. Dans le cas qui intéresse Livia et si les informations de son grand-père sont exactes, cette illustration provient du corps d'une personne à qui l'on a enlevé le cœur. Bien plus troublant encore, ce prélèvement d'organe aurait été réalisé dans une salle de classe et en deux minutes par un enfant de six ans. Il aurait ensuite subtilisé le cœur puis serait entré dans un mutisme, pour finalement être porté disparu trois jours plus tard. Comme le lui avait fait remarquer le serveur du wagon-bar, tout le monde dans la région connaît l'histoire du petit garçon qui tue un ministre et qui disparaît peu de temps après, mais tous ignorent que ce petit garçon a aussi pris soin de lui prélever le cœur à la manière d'un grand chirurgien, et ce en l'espace de deux minutes seulement. Livia aura attendu six heures du matin pour se présenter seule au petit restaurant de l'hôtel.

— Nous commencions à nous inquiéter hier soir !

— Je suis tombée dans un profond sommeil oui… Je ne me suis réveillée que tard dans la nuit.

La patronne de l'établissement l'accueille avec un grand sourire. Soulagée. Elle l'installe à une table.

— Nous nous sommes dit que c'était peut-être le décalage horaire effectivement… d'où venez-vous ?

— Du Portugal, et il n'y a qu'une heure de décalage, donc non, il n'en est rien ! Mais je vis à un rythme effréné depuis quelques jours alors il fallait bien que mon corps réagisse… En tout cas, j'ai bien dormi, c'est très confortable et très cosy chez vous.

— Merci mademoiselle. Mais que venez-vous faire ici si ce n'est pas trop indiscret ?

— Je suis journaliste et je fais une enquête sur le monde médical en France, alors je dois me rendre à l'hôpital Bel Air aujourd'hui pour rencontrer le personnel.

— Ah oui ? Et dans quel service ?

— Je n'ai pas de planning à vrai dire, ni même de rendez-vous, mais la pédiatrie m'intéresse beaucoup.

C'est en lâchant cette dernière phrase que Livia se demande si la patronne n'a pas démasqué la vraie raison de sa présence ici. Cette histoire est tellement connue qu'il serait peut-être préférable de dire la vérité tout de suite se dit-elle.

— Je peux vous mettre en relation avec ma sœur si vous voulez.

— Elle travaille là-bas ?

— Plus maintenant, elle est à la retraite, mais elle serait ravie de vous accompagner j'en suis sûre. Elle était aide-soignante en orthopédie, mais je pense que vous pourrez facilement obtenir les réponses à vos questions de toute façon car l'hôpital est assez petit et le personnel sera ravi de vous aider, vous verrez.

— Je vais tenter ma chance alors, lui répond Livia en souriant.

C'est en buvant son café qu'elle se dit qu'elle n'a rien à gagner à masquer la vraie raison de sa présence ici. « Je vais y aller franco, je verrai bien ».

Livia patiente dans le hall de l'hôpital puis se retourne soudainement.

— Mademoiselle, je sais pourquoi vous êtes ici et je sais à l'avance les questions que vous allez me poser.

Avec un petit sourire et son regard rencontrant le sien, le chef du service pédiatrique vient de la prendre de court et surtout de haut.

— Vous n'êtes pas la première à venir enquêter sur le petit Mathieu, alors je veux bien me prêter à cet exercice une fois de plus mais ce que je vais vous dire, vous pouvez le trouver dans n'importe quelle archive journalistique de ces dix dernières années.

Livia n'avait pourtant pas pris la parole, simplement demandé à l'accueil de l'hôpital si elle pouvait avoir un entretien avec le chef du service pédiatrique.

— Vous travaillez pour quel journal ?

— Lisbonne minute, je suis Portugaise.

— Ah oui ? Tiens, ça c'est nouveau en revanche. Et pourquoi un petit journal du Portugal s'intéresserait-il au traumatisme crânien d'un enfant de six ans survenu il y a dix ans ?

— Peut-être parce que j'ai moi aussi des choses à vous apprendre. Nous pouvons fonctionner comme ça. Ce que vous répondez et avez répondu jusque-là ne m'intéresse pas vraiment à vrai dire. Si je suis ici, c'est pour en apprendre davantage, et si par la même occasion je peux enrichir votre connaissance sur cette affaire, je le ferais.

Dans le bureau du médecin et aussitôt assis en face l'un de l'autre, il reprend la parole.

— Un gamin de six ans chute d'un arbre la tête la première. Il arrive dans mon service avec les pompiers dix minutes après dans un état grave. Ce qui arrive souvent dans ce genre de cas arriva, il fit un arrêt cardiaque au moment même où on le préparait pour une radio du crâne. Nous l'avons massé pendant plus de vingt minutes, et au moment où nous allions arrêter pour... prononcer le décès, son cœur est reparti. Lorsqu'il se réveilla après un coma de trois jours, il n'avait aucune séquelle d'un point de vue cérébral.

— Et qu'a-t-il dit ?

Le médecin regarde Livia avec étonnement, et celle-ci comprend sur le champ que ce que l'homme hésite à lui dire maintenant, il ne l'a jamais dit auparavant. Sans doute parce que cette question ne lui avait jamais été posée, du moins pas par un journaliste.

— Rappelez-moi le nom de votre journal ?

— Lisbonne minute.

— Quels genres de sujets traitez-vous d'habitude ? Je veux dire, vous seriez du Washington post ou de Bild je comprendrais, mais là je ne saisis toujours pas pourquoi une jeune journaliste d'un petit journal portugais vient me poser ce genre de questions.

— Je vous l'ai dit, j'ai peut-être des choses à vous apprendre moi aussi. Mais quand je vous demande ce que le gamin a dit à son réveil, vous vous bloquez n'est-ce pas ? Je crois savoir pourquoi. Je pense que l'on vous a déjà posé cette question il y a longtemps, et que les personnes qui vous l'ont posé n'étaient pas des journalistes.

— C'est exact. Continuez, répond le médecin en s'enfonçant dans son siège.

— Ne seraient-ce pas des hommes d'État ? Des officiels en costume sombre et avec des accréditations plus longues que leurs bras ?

— C'est exact. Les services secrets.

— Et quand sont-ils venus vous questionner ? Aussitôt après le réveil du petit Mathieu ?

Cette fois, le médecin regarde le plafond en expirant. Livia tente de le réconforter.

— Ma carte de presse est en effet affiliée à un petit journal portugais insignifiant, alors vous imaginez bien que tout ce que vous pourrez me dire ne paraîtra pas. Si je suis ici, c'est à la demande de mon grand-père, lui-même journaliste, mais à la retraite. Il a enquêté sur ces affaires il y a dix ans. Oui, ces affaires. Le petit Mathieu n'est pas un cas isolé, ils sont plusieurs dizaines dans le monde. Des femmes, des vieillards, des enfants… Tous en 1986.

Livia vient de clouer le médecin sur sa chaise. Elle reprend.

— Alors, dites-moi docteur, quand ces hommes sont-ils venus pour vous poser ces questions ? Et qu'a raconté le petit Mathieu à son réveil ?

— Ils m'ont posé des questions oui, mais pas tout de suite. Le fait est que le gamin est sorti de l'hôpital quelques jours plus tard et qu'il a repris sa vie de petit garçon. Lors de sa rentrée des classes, il s'est passé ce que vous savez, j'en suis sûr. Le ministre de l'Éducation est en visite dans son école primaire et il décède pendant un entretien privé avec le gamin.

— De quoi le ministre est-il mort alors ?

— Cancer généralisé non diagnostiqué. Il avait des ramifications un peu partout, et ce qui est doublement incroyable c'est qu'il ait survécu jusque-là et surtout sans aucun signe de mauvaise santé.

— D'accord, et c'est à ce moment-là que ces hommes sont venus vous poser des questions ?

— Oui. Ils voulaient en savoir plus sur l'hospitalisation du gamin et le fait qu'il était revenu de la mort quelques mois auparavant. Je ne comprenais pas et ne comprends toujours pas aujourd'hui pourquoi ils cherchaient à en savoir plus à ce niveau-là.

— Et c'est à cette occasion qu'ils vous ont demandé ce que le petit Mathieu avait raconté à son réveil ? Raconté à propos de son arrêt cardiaque et de… son expérience de mort imminente ?

— Oui.

— Qu'a raconté l'enfant à son réveil ?

— Savez-vous aussi ce que ces hommes m'ont dit à propos de ça ?

— Je l'imagine. Que c'est une affaire classée Secret Défense et que dans votre intérêt, il serait bon de ne jamais en parler. À personne. Maintenant, je vous ai dit la vérité. Ce que vous pourrez m'apprendre ne sera jamais publié. Déjà, aucune rédaction, y compris une très sérieuse comme celle du Washington post ne se risquerait à mettre les pieds dans une histoire comme celle-là, ensuite, tout ce que vous pourrez me dire ne sera que pour satisfaire ma curiosité et celle de mon grand-père, et… oui, j'ai une collègue qui travaille aussi sur le sujet. Elle est actuellement à Rome pour un cas similaire, enfin, il n'est pas question d'enfant qui tue un ministre, mais c'est globalement du même ordre.

Livia plonge son regard dans celui du médecin puis reprend au bout de quelques secondes.

— Alors ? Qu'a raconté le petit Mathieu à son réveil ?

Encore un temps d'attente, puis le médecin se lance :

— Dans un premier temps, il a parlé de tunnel, de lumière et de sourire. Dans un premier temps seulement.

— Et ensuite ?

— Il faisait une fixation sur les étoiles, l'espace et… il a parlé des frères de l'univers.

— Les frères de l'univers ?

— C'est ça. Il le répétait en boucle. On a d'abord cru à un dessin animé, il y en a tellement qui se déroule dans l'espace de nos jours. Vous avez Goldorak et Ulysse par exemple, mais au fur et à mesure que le gosse parlait on se rendait compte que ce qui y sortait de sa bouche ne venait pas de ce qu'il avait vu dans des dessins animés.

— Pourquoi ça ? Comment avez-vous pu faire la différence ?

— Eh bien… Lorsqu'un enfant de six ans est capable… Au début, c'était très basique, d'accord, il parlait des étoiles qui brillent la nuit, et que de toutes ces étoiles il y en avait qui brillaient plus que les autres mais… C'est à partir du moment où il nous a expliqué pourquoi.

— Pourquoi quoi ? Pourquoi certaines étoiles brillent plus que les autres ?

— Oui, il nous a expliqué qu'une étoile était en fait un système solaire, et que dans ce système il y avait donc un soleil plus ou moins gros et rayonnant plus ou moins fort en fonction de son âge par exemple, mais… il s'est mis à nous parler de particules, d'atomes et de matière noire.

— Effectivement, plutôt troublant pour un gamin de six ans.

— Mais vous ne semblez pourtant pas si troublée que ça après ce que je viens de vous dire… Vous me rappelez ces hommes des Services Secrets, eux aussi m'écoutaient sans sourciller, comme si ce que je leur disais était banal.

— Cela reste troublant effectivement, mais pas complètement pour moi, surtout depuis deux jours.

— Et vous alors, qu'avez-vous à m'apprendre ?

— Je vous pose une dernière question avant si vous le voulez bien : où l'autopsie du ministre a-t-elle était réalisée ?

— A Paris, à l'hôpital militaire de Clamart.

— Et bien sûr, vous n'avez jamais eu le rapport sous les yeux ?

— Pourquoi l'aurais-je eu ? J'étais médecin dans un service pédiatrique à l'époque, alors pourquoi m'auraient-ils fait parvenir le compte rendu d'autopsie ? Tout ce que je sais c'est que le type est mort d'un cancer généralisé.

— Comment le savez-vous alors ?

— Oui c'est vrai, ce sont les deux hommes des Services Secrets qui me l'on dit, et ils m'ont aussi montré un document sans appel sur son état de santé au moment de son décès… Oui c'est vrai, j'ai eu vent d'une petite partie du compte rendu, en revanche, aux informations télé ils parlaient plutôt d'un malaise cardiaque.

— Malaise cardiaque ? C'est impossible si j'en crois mes informations, et mes informations doivent être bonnes car elles nous ont amenés à nous rencontrer aujourd'hui.

— Pourquoi impossible ?

— Lors de l'autopsie, les légistes n'ont pas trouvé son cœur. Le ministre n'avait plus de cœur. Voilà. Si cette information est vraie, un malaise cardiaque n'est donc pas possible sans cœur, n'est-ce pas ? Le petit Mathieu a bien eu une discussion en aparté avec le ministre, oui, et ce ministre est bien décédé lors de cette entrevue, mais le fait est qu'au début il avait un cœur et qu'à la fin, c'est-à-dire deux minutes plus tard, il n'en avait plus.

Livia quitte le petit hôpital en saluant la réceptionniste dans le hall. Elle a laissé le médecin accuser seul le coup dans son bureau. Sûr qu'il est encore sur sa chaise à réfléchir après ce qu'elle vient de lui apprendre se dit-elle. Elle n'avait rien oublié, comme pour le remercier d'avoir joué franc jeu avec elle. Tous les cas connus et répertoriés par son grand-père depuis dix ans lui avaient été dits, du grand magasin en Australie jusqu'à la fontaine publique en Inde, en passant par la peinture en Norvège dans la chambre du Président. Elle marche maintenant dans la ville jusqu'à sa prochaine destination, l'école primaire. Elle craint en y pensant que le personnel n'y soit pas aussi magnanime que le médecin, mais d'un coup, elle reprend confiance en elle en réadoptant une posture franche. « Leur dire tout de suite pourquoi je suis là et ce que je cherche à savoir ». Elle s'avance vers la grille et la pousse dans un grincement. La cour de récréation est vide. Tous les élèves sont en classe. Comme personne ne vient à sa rencontre, elle s'imprègne des lieux. C'est ici que ça s'est passé se dit-elle. C'est par cette grille que le petit Mathieu est entré pour sa première année d'école primaire. Il n'y sera resté qu'une demi-journée, juste le temps d'y faire quelque chose d'incroyable. Dans quel but ? Tout cela doit avoir un sens, se répète-t-elle. Tous ces anonymes, tous ces cas similaires et coordonnés entre eux autour de la planète n'ont pas fait ce qu'ils ont fait pour rien, il y a une raison, une logique à travers leurs actes extraordinaires. Déjà, une chose vient de sauter aux yeux de Livia. Dans deux des cas à sa connaissance, il semble y avoir un rapprochement. Une impeccable reproduction en peinture du ciel astral en Norvège, et les frères de l'univers, ainsi que l'espace, les étoiles et les trous noirs pour Mathieu. Il faut creuser par-là, commence-t-elle à se répéter en boucle.

— Bonjour mademoiselle, je peux vous aider ?

Alors que Livia avait marché tout en songeant jusqu'à la porte des toilettes, un homme imposant et en tenue d'ouvrier se dresse devant elle :

— Bonjour monsieur, oui, en fait j'ai rendez-vous avec la psychologue scolaire.

— C'est « le » psychologue scolaire mademoiselle. Suivez-moi.

Arrivés devant une porte à l'étage, l'homme l'ouvre sans toquer et invite Livia à rentrer.

— Vous pouvez l'attendre dans sa salle, M. Kerviel ne va pas tarder.

Facile se dit Livia. Reste à attendre ce M. Kerviel et espérer que sa réaction ne soit pas trop mauvaise. Elle commence à déambuler dans cette salle de classe qui n'en est pas une, sauf peut-être et uniquement dans les proportions. Une piscine à balle et un genre de jeu de construction avec des tubes modèle géant attirent l'attention au premier coup d'œil. Un tableau où des dessins faits par des élèves se dressent à côté du bureau.

— Bonjour, nous avions rendez-vous ?

— Non, et je suis journaliste.

— Très belle entrée en matière ! Vous vous dites que la carte de la franchise à cinquante pour cent de chance de fonctionner. L'autre option était de me faire croire que vous enquêtiez sur les moyens de détections des surdoués, et je vous aurais très vite démasquée !

— Personne n'aime être pris pour un idiot.

Le psychologue lui répond en hochant une tête souriante.

— Alors, allez-y, posez-moi vos questions sur le petit Mathieu, je suis devenu très précis dans mes réponses à force d'y répondre !

— Moi je veux la vérité, et je voudrais voir son livret scolaire, surtout ses dessins, et surtout ceux qu'il a réalisés après son accident et avant le décès du ministre.

— Voilà qui est singulier répond le psychologue.

— Je suis la première personne à vous le demander, n'est-ce pas ?

— Non, la deuxième, et la première est partie avec le dossier scolaire il y a dix ans.

— Vous n'avez plus son dossier scolaire ? Remarquez, c'était prévisible.

— Oui, un secrétaire du ministère de l'Éducation me l'a réclamé juste après le décès du ministre dans notre établissement, et il ne me l'a jamais retourné.

— Alors peut-être pouvez-vous me parler des dessins que le petit Mathieu a faits durant cette courte période ? Vous devez vous en souvenir ?

Il invite Livia à s'asseoir puis prend place sur sa chaise.

— Les étoiles, l'espace, l'univers… Ce n'était que ça, enfin…
Il y en avait quand même un qui différait de ce thème.

Il ouvre un tiroir du bureau et sort un polaroid qu'il pose devant elle.

— Celui-là je l'ai pris en photo. Je me souviens qu'à l'époque, il m'avait glacé le sang. Il replonge sa main dans le tiroir et en sort une loupe qu'il tend à Livia.

— Vous reconnaîtrez sans doute de qui il s'agit !

Livia scrute le dessin dans ses moindres détails. Un homme est sur une moto. Il est en tee-shirt jaune et salopette rayée bleu et blanche. Un nez rouge de clown bien visible sur son visage, et un trait concave en guise de bouche ne laisse aucun doute sur la tristesse de ce motard. Plus loin sur la route, un camion est en travers.

— Je ne comprends pas, qui est-ce ?

— C'est Coluche mademoiselle ! L'humoriste !

— Je suis portugaise…

— Ah d'accord ! D'où votre accent… Mais vous vous exprimez très bien en français au passage. Bref, Coluche était un humoriste très connu en France, et il est décédé dans un accident de moto avec un camion. Ce fut un drame national à l'époque.

Livia regarde une nouvelle fois le polaroid.

— Oui d'accord, ça l'a marqué et il en a fait un dessin, très explicite et très précis pour son jeune âge d'ailleurs, mais où voulez-vous en venir ?

— Regardez le tampon en bas à droite. Tous les dessins de tous les élèves sont tamponnés. Il y a le nom de l'établissement et la date.

Livia s'attarde sur le cachet de l'établissement en éloignant la loupe.

— École primaire Louis Pasteur oui, le 11 juin 1986. Oui, et alors ?

— Coluche est mort dans cet accident le 19 juin 1986, soit huit jours après que le gamin a fait ce dessin.

Livia repose la loupe sur la table.

— Ah… Vous voulez dire qu'en plus il était clairvoyant ?

— Mais en plus de quoi mademoiselle ? Qu'est-ce que ce gosse aurait-il fait de plus stupéfiant que de prédire la mort de Coluche ? Il aurait lui-même tué ce ministre ? Je n'y crois pas. Ce n'est pas lui qui l'a tué.

— Comment expliquez-vous sa disparition maintenant ?

— Eh bien je comptais sur vous pour m'éclairer là-dessus. Vous devez en savoir bien plus que moi sur le sujet. Je vous ai montré le dessin, maintenant c'est à votre tour de m'apprendre des choses.

— La disparition du petit Mathieu ? C'est précisément la raison de ma présence ici monsieur. Je n'ai aucune idée là-dessus, mais le fait que le gamin ait prédit la mort de cet humoriste m'interpelle, oui, effectivement… Mais franchement de vous à moi : que pensez-vous réellement de toute cette histoire ?

Le psychologue s'enfonce encore un peu plus dans son siège et pivote d'un quart de tour vers la fenêtre où son regard se plonge. Il sort une cigarette de son paquet et le montre à Livia pour lui en proposer une.

— Non merci je ne fume pas. Je vous écoute monsieur.

Il allume la sienne avec un briquet puis aspire longuement la première bouffée. Toujours le regard perdu à l'extérieur, il prend la parole en recrachant la fumée.

— Avez-vous des connaissances en physique, mademoiselle ?

— Très basiques.

— En physique quantique je veux dire ?

— Encore plus basiques.

— D'accord… et croyez-vous en Dieu ?

— Non.

— En quoi croyez-vous ?

— Je ne crois que ce que je vois où alors dans les personnes de confiance, et si par exemple celles-ci ont vu quelque chose d'incroyable et me le racontent, je les crois.

— Combien avez-vous de personnes de confiance ?

Il prend la peine de la regarder pour cette dernière question.

— Une seule. Mon grand-père.

— Que vous soyez journaliste je veux bien l'admettre, mais que faites-vous dans cette enquête alors ?

— Mon grand-père l'a commencée, répond Livia d'une petite voix tendue. Merde, ce type est psy se souvient-elle tout à coup.

— Et quand l'a-t-il commencée ?

— Il y a dix ans.

— Vous ne me vendrez pas que votre grand-père est la seule personne qui vous motive à en savoir plus mademoiselle. Vous ne voulez pas me le dire c'est tout, tout comme moi je ne veux pas…

— Vous-même m'avez délibérément dit ne pas croire à la version ésotérique de cette histoire, celle que tout le monde raconte ici dans la région, à savoir que c'est le gamin qui l'a tué.

— Et je n'y crois pas je vous le confirme, mais vous y croyez-vous ?

— De quoi ? Que c'est le gosse qui a tué ce ministre ? Je ne sais pas. Je ne suis pas ici pour croire telle ou telle version, je suis ici pour enquêter et connaître la vérité.

— Alors maintenant mademoiselle, quels éléments a-t-on ? Je veux dire, réellement et de façon sûre et certaine ? Le fait est qu'un petit garçon de six ans est victime d'un accident au mois de mai 1986 et qu'il échappe miraculeusement à la mort. Il l'explore même l'espace de quelques minutes lors d'un arrêt cardiaque, ensuite il tient des propos inappropriés pour son jeune âge, et fait des dessins axés sur l'univers et l'espace en les commentant à la manière d'un astrophysicien. Ensuite, il est capable de prédire la mort d'un célèbre humoriste avec une infinie précision dans les détails, puis il discute en aparté avec un ministre et celui-ci décède dans d'obscures conditions pendant l'entrevue, et pour finir il ne prononcera plus un mot jusqu'à ce qu'il soit porté disparu trois jours plus tard, en septembre de la même année. Voilà, ça ce sont les faits. Je vous repose la question mademoiselle : avez-vous des connaissances, ou tout du moins avez-vous le moindre attrait pour la physique quantique ?

— Mais pourquoi cette question enfin ?

Livia se remémore soudainement ce qu'elle avait dit à Lula dans la voiture deux jours plus tôt lors de son réveil brutal « Il faut qu'on aille vers la physique, on doit chercher un physicien, il faut chercher par là aussi ».

— Pourquoi pensez-vous que la physique pourrait m'aider ?

— Vous ne croyez pas en Dieu, donc ni à la magie et ni à la prémonition. La physique est une science, voilà pourquoi vous devriez vous raccrocher à elle, et surtout…

Il reprend une posture de réflexion.

— Oui ? Et surtout quoi ?

— Je sens que la clé pourrait s'y trouver.

— Vous le sentez ? Comme sentir les évènements avant qu'ils ne se produisent ? Comme… de la prémonition ? C'est paradoxal ! Vous me parliez de science dix secondes auparavant !

— Vous-même, la cartésienne, vous n'écoutez jamais cette petite voix ?

« Touché » se dit Livia.

— Oui je vous l'avoue. Oui. J'avais même déjà pensé à la physique pour tout vous dire.

— Dans quelles circonstances ? Comme ça, entre le fromage et le dessert ?

Livia en perd presque ses moyens. Ce type est psy ou devin ?

— Toujours au réveil, enfin, pour la physique l'idée m'est venue au réveil.

— Et pour les autres idées ? Oh allez, je sais que votre instinct vous pousse à faire des choses que vous ne faites pas toujours ! Vous devriez écouter plus souvent cette petite voix, vous savez, celle qui chuchote des choses à votre oreille…

— Où voulez-vous en venir docteur ?

— Oh… Je ne suis pas docteur en médecine, juste psychologue. Un petit psychologue scolaire dans la petite école d'une petite ville.

La sonnerie de l'école retentit. Le psychologue regarde sa montre puis relève son visage en souriant à Livia.

— Fin de la séance !

Fin de la séance oui, et fin de l'enquête se dit Livia en reprenant sa marche en direction de l'hôtel. Il y en a de toute façon encore tant d'autres qui attendent, mais pour ce qui est du petit Mathieu, s'en est fini. L'idée de la physique s'impose encore un peu plus dans son esprit, le psychologue en avait été le détonateur. Mais pourquoi ? Pourquoi d'une part un psychologue la poussait-il vers elle et pourquoi la physique pourrait en être la clé ? Son téléphone portable vibre dans sa poche. Un sms de Lula. « Dieu est amour ». Qu'est-ce que c'est que cette connerie ? se demande-t-elle. L'improbable « Dieu est amour » vient couper net le fil sur lequel elle marchait, le fil de la physique et de la rationalité, enfin, de la possible explication mathématique de l'inexplicable. Elle commençait à se raccrocher à cette idée, avant que Lula ne vienne brutalement contrecarrer ses plans avec son « Dieu est amour ». Elle se décide à l'appeler au moment où un second sms lui arrive « Désolée j'ai merdé ».

— Allo ? C'est quoi ces conneries ? T'as merdé sur quoi ?

— Sur mon sms, ça finit par « Dieu est amour » mais j'ai effacé tout le reste par erreur… J'ai merdé quoi !

— Appelle quand tu as des choses importantes à me dire… tu m'as fait peur !

— Mon forfait n'est ni illimité ni international, alors déjà un sms… je préfère que ce soit toi qui appelles.

— OK d'accord, sinon tu en es où ?

— J'ai pu rencontrer le type de la Garde suisse du Vatican… Il est à la retraite maintenant et se consacre à sa passion, la physique… et pour mon affaire, quand je lui ai posé des questions sur ce qui s'était passé il y a dix ans avec la petite vieille sur la Place Saint-Marc, nous avons d'abord cherché une explication rationnelle à ça et puis… Il m'a demandé si je croyais en Dieu.

Livia est stupéfaite :

— Ah bon ? Et qu'est-ce que tu lui as répondu ?

— Je n'ai pas eu le temps de lui répondre, il a enchaîné… Il m'a dit que si la physique ne pouvait pas répondre à mes questions, il fallait que je me tourne vers Dieu, et après une tirade de cinq minutes il a fini en lâchant son « Dieu est amour ».

Livia s'assoit sur le trottoir. Lula reprend en lui posant la même question.

— Et toi tu en es où ?

— Eh bien moi c'est l'inverse de toi. Un psy m'a demandé si je croyais en Dieu et j'ai à peine eu le temps de lui répondre non. Ensuite, il m'a encouragée à aller vers la physique…

— Waouh… d'accord, grosse coïncidence. Donc si je comprends bien, pour nos deux affaires…

— Pour toutes ces affaires, pas uniquement ces deux-là, mais bien pour toute cette enquête, quand Dieu, les religions et l'ésotérisme ont leurs limites, il faut passer à la physique, et inversement… quand c'est la physique qui n'explique plus, il faut se raccrocher à Dieu… C'est le chien qui se bouffe la queue.

— Oui… c'est incroyable mais c'est ce que je comprends aussi. Et sinon tu as retrouvé la trace du gamin et du cœur ?

— Et toi, tu as compris comment cette petite vieille avait fait pour faire voler cinq cents pigeons en formation et en signe de croix ?

Cela fait plusieurs minutes que les deux amies ont raccroché. Livia arrive au pied de l'hôtel quand un nouveau sms de Lula lui parvient : « J'ai oublié de te dire, il m'a aussi dit de suivre mon instinct ». Cette fois plus de doute. C'est également ce que le psy avait conseillé à Livia de faire avant de la congédier « Vous devriez écouter plus souvent cette petite voix, mademoiselle ».

C'est en rassemblant ses affaires que Livia parvient enfin à se détendre. Une crise de larmes l'avait secouée dès qu'elle était arrivée dans la petite chambre, à l'abri des regards. Elle s'était pudiquement retenue jusque-là puis avait craqué dès la porte franchie, se tordant même de la pire des souffrances lorsqu'elle avait pensé à son grand- père et à sa mort prochaine. Elle ferme sa valise en reniflant puis se dirige une dernière fois vers la fenêtre. « Je crois que je sais où aller désormais ».

Lorsque Livia remonte dans le train pour Paris, elle pose un pied sur le strapontin du wagon puis se retourne et regarde encore une fois le quai. Dans la foule présente, quelque chose la pousse à s'attarder sur le petit kiosque à journaux où un homme la cherchait du regard au même moment. Un bras levé de chacun après s'être reconnu, et il la rejoint au pied du wagon.

— En fait, j'ai gardé un dessin du petit Mathieu. Je vous le donne.

Livia attrape la pochette que lui tend le psychologue puis lui réplique sans regarder à l'intérieur.

— Merci, mais comment avez-vous su que je reprenais le train ce soir ?

— J'ai écouté mon instinct… Je plaisante ! Je suis passé à l'hôtel.

Livia regarde encore une fois la pochette avant que le psychologue ne reprenne.

— N'écoutez que votre instinct, voilà le conseil que je vous donne. Cette petite voix dans votre oreille risque de finir par en avoir marre, ou alors de se casser la voix !

— Merci pour le dessin, monsieur, et merci pour le conseil Docteur.

La porte du TGV se referme lentement au son d'une petite alarme, et Livia le salue d'un sourire avant de se diriger vers son siège de première classe.

École Primaire Louis Pasteur, 25 juin 1986. Le tampon fait foi, le petit Mathieu l'a bien réalisé durant la période qui intéresse Livia. L'espace, ou plutôt le grand Espace, avec des étoiles plus ou moins grosses et brillantes, mais en toile de fond seulement. Au centre, plusieurs dizaines de taches blanches formant une demi-ronde. « Pourquoi les compter ? » se demande-t-elle. Puis finalement, elle le fait. Soixante-treize taches au total.

Même si elle a dormi dans le train, c'est dans l'avion et à l'atterrissage que Livia se réveille brutalement d'une part, mais aussi avec une idée. « Je dois m'assurer que la disposition des étoiles n'est pas faite de façon anarchique, un peu comme la peinture en Norvège dans la chambre du Premier ministre, et si c'est le cas, le nombre soixante-treize doit forcément avoir une signification ». Elle sort de l'avion par le tunnel avec son simple bagage à main et arrive au terminal où les familles et les proches forment un entonnoir. Elle y aperçoit son frère. Cette fois, il ne lui sourit pas. Arrivée à sa hauteur, elle le prend de cours.

— Ne commence pas s'il te plaît. Fous-moi la paix.

Alberto ne répond pas.

— Mais comment tu as su que j'arrivais ce matin et surtout que j'étais partie ?

— Papy.

— Quoi papy ? C'est lui qui t'a dit ?

— Oui, il m'a tout dit. Les soins palliatifs en France pour toi et en Italie pour Lula, afin de comparer les traitements et les services européens par rapport à ceux du Portugal. Très bonne idée, même si à la base ce ne devait être qu'un petit truc, je pense que Jonathan va apprécier, en plus tout était aux frais de papy donc…

— Et papy il est où là ?

— En chimio.

— Tu savais qu'il était malade ? Enfin, tu le savais depuis longtemps ?

— Seulement depuis cette après-midi, quand il m'a dit que tu revenais de France et qu'il fallait quelqu'un pour te récupérer. Lula revient demain matin de Rome.

— Emmène-moi à l'hôpital s'il te plaît, tu veux bien ?

— C'était prévu comme ça ne t'inquiète pas, lui aussi il veut te parler, mais là il est trop tard, les visites se terminent à 19 heures, alors nous irons demain matin et toi tu dors chez papy, il m'a donné les clés de la maison.

Aussitôt arrivée, Livia se sert un verre de porto sous la véranda. Après, ce sera une vraie nuit de sommeil dans son lit de petite fille, et cette idée la fait se relaxer encore un peu plus. Elle sort maintenant d'une longue douche avec une simple serviette sur la taille et une autre enroulée sur ses cheveux. Elle entre dans la chambre de son grand-père et fait pivoter la bibliothèque en la tirant, laissant apparaître le coffre dont elle ignorait l'existence il n'y a encore que trois jours. Il lui avait donné la combinaison, mais elle doit s'y reprendre à plusieurs reprises tellement le code est long et improbable. À la troisième tentative, un clac accompagne sa dernière pression sur le clavier. Dès l'ouverture en grand de la lourde porte, une petite lumière vient éclairer une pile de documents. Le saint Graal de son grand-père, du moins, dix ans d'enquête pour y accéder. Elle cherche parmi eux celui du petit Mathieu et y intègre le dessin que le psychologue lui a offert sur le quai. « Ma première participation à l'enquête papy ». Elle passe ensuite une bonne partie de la nuit à feuilleter les autres documents, puis finit par s'endormir nue sur le lit de son grand-père. C'est la lumière du soleil qui la réveille, et la chaleur qu'il dégage en ce début septembre lui fait déjà, à 7 heures du matin, perler quelques gouttes de sueur sur le front. Une idée lui vient dès qu'elle ouvre les yeux : « Je vais en parler à Lula ». La petite SEAT que Jonathan leur a allouée attendait dans le garage de la propriété. Elle tourne la clé de contact après avoir réglé le siège et les rétroviseurs à sa taille. « Vingt et un kilomètres, ce n'est pas le bout du monde ». Livia n'aime pas conduire. Elle n'a jamais aimé ça, mais elle doit se rendre à l'aéroport pour récupérer Lula qui prendra de toute façon le relais.

— Vous avez une petite mine, mademoiselle…

Livia lève les yeux sur le serveur qui lui apporte son cappuccino.

— Merci, pour le café et la petite mine.

— Y'a pas de quoi, c'est gratuit, comme le café. Si ça peut vous redonner le sourire.

Assise au bar du terminal, elle attend Lula. Je dois effectivement avoir une sale gueule, mais d'un autre côté ce type me drague quand même reconnaît-elle.

Elle était assise à la même table il y a exactement 48 heures avant qu'elle ne s'envole pour la France, alors sûr qu'il l'avait déjà repérée. Pour ce qui est de sa vie amoureuse, son instinct ne l'avait jamais aidée, ou peut-être ne l'écoutait-elle pas assez non plus.

L'annonce du vol en provenance de Rome se fait entendre dans le hall et Livia rejoint les arrivées. Lula n'est pas plus fraîche. Même démarche, mêmes valises sous les yeux. Elles s'embrassent sans fougue mais avec beaucoup de sincérité, amies pour la vie désormais.

— On va chez mon grand-père, tu prends une douche et on se fait un p'tit déj.

— Cool. Il nous attend ?

— Non, il a commencé la chimio hier mais on va le voir après à l'hôpital.

— Ah merde, OK, et après j'aimerais retourner à Porto pour parler à l'expérienceur.

— Toi aussi ? C'est marrant quand même, j'y ai pensé ce matin au réveil !

— Oui, je suis sûre que ce type peut nous aider. J'en ai vu un autre comme lui à Rome, et il m'a raconté la même chose, mot pour mot... Le tunnel, la lumière blanche qui grossit jusqu'à l'envelopper complètement et aussi cette fameuse ligne, ce point de non-retour.

— C'est dingue, c'est exactement à ça que je pensais aussi. Je suis sûr que le type ne nous a pas tout dit, mais si en revanche nous aussi on se met à lui dire des choses...

— Des choses qu'il sait peut-être déjà, répond immédiatement Lula.

— Probablement même. Oui, c'est comme ça que je le sens aussi encore une fois.

Une fois arrivées à la maison, Livia revient sous la véranda avec le dessin du petit Mathieu et le pose devant Lula occupée à manger un croissant.

— Très précoce pour un gamin de six ans... Et les taches là c'est quoi ?

— Je ne sais pas, mais il y en a soixante-treize.

— Ah ça c'est intéressant... merde alors, le garde suisse qui s'est occupé de la petite vieille à l'époque m'a parlé de ça aussi, du nombre soixante-treize...

— Ah oui ? Et qu'est-ce qu'il t'en a dit ?

— Lui rien, enfin c'est la vieille qui lui a sorti ça plusieurs fois à l'époque... ça l'a marqué c'est tout. Elle lui a répété plusieurs fois soixante-treize... alors soixante-treize quoi ? Et après elle est revenue à elle au bout de trois jours sans aucun souvenir de ce qui s'était passé ni même de ce qu'elle avait fait… comme les autres, enfin pas comme le gamin c'est vrai. Mais pour lui t'as rien trouvé à part ce dessin ? Il a vraiment disparu ou c'est un fake ?

— Je n'ai pas de réponse stricte là-dessus, mais je pense qu'il a vraiment disparu. Il a fait un autre dessin aussi, j'ai vu une photo de ce dessin. Il y prédisait la mort d'une personne quelques jours plus tard… C'est authentique, pas de problème là-dessus.

— Ça aussi c'est intéressant. La petite vieille était connue pour deux choses. Elle aimait les pigeons et passait son temps à les nourrir et à les apprivoiser et ça plaisait beaucoup aux touristes. Mais elle était aussi voyante à ses heures. Elle tirait les cartes aux gens de temps à autre, et dans le quartier, tout le monde l'appelait la voyante aux pigeons.

— Et donc après, elle ne se souvenait vraiment de rien ?

— De rien, du moins c'est ce que m'a dit le Garde suisse. Elle avait de la famille éloignée qui l'a prise en charge et ils l'ont placée dans un hospice pour les malades d'Alzheimer. Fin de l'histoire pour la voyante aux pigeons, et plus personne n'en a entendu parler après.

— Tu n'as pas de photos du moment où les pigeons volent en formation ?

— Non, juste un dessin, comme toi.

Lula ouvre son sac pour en sortir une toile au crayon gras qu'elle dépose sur la table. Une impeccable croix chrétienne dans un ciel bleu, formée par plusieurs centaines de pigeons. À droite du tableau, la partie haute du palais papal.

— Qui a fait ce dessin ?

— Un artiste témoin de la scène, validé par le Garde suisse, lui aussi témoin. Livia plisse les yeux.

— Tu sais, mon grand-père nous a aussi parlé de ce type en Iran qui a fait apparaître la main de Fatima dans le sable… Bref, ce que je veux dire c'est qu'apparemment toutes les religions sont représentées, quand il est question de signes religieux je veux dire.

— Ne t'inquiète pas, je ne partais pas dans l'hypothèse que tout ceci avait un lien avec la religion catholique.

— Je sais, mais ce que je veux dire c'est que le lien, enfin, si l'on se risque à faire un lien avec quelque chose, on peut déjà creuser du côté des étoiles et de l'univers… Tu te rappelles la nana en Norvège, celle qui a peint un authentique ciel astral sur un mur entier dans la chambre du président ? Eh bien le dessin du gamin me fait penser à ça. Après, sur la religion ou plutôt les religions, le fait qu'elles soient toutes représentées, même si je vais un peu vite, eh bien je prends ça comme un appel à l'unité. Dans ce bas monde, nous n'avons pas grand-chose en commun… Pas le même dieu, pas la même religion quand certains sont carrément athées, mais une chose nous rassemble quand même. La même planète, le même système solaire, même galaxie… et surtout la même origine.

— La même origine ? Moi je suis d'accord avec toi, mais les religieux en revanche c'est moins sûr… ce qui est vrai pour un Juif ne le sera pas pour un chrétien ou un musulman, et vice versa…

— Oui tu as raison. L'éternel problème. Mais tu m'as dit que tu avais rencontré un expérienceur à Rome ?

— Oui, un jeune de vingt-trois ans.

— Catholique ?

— Oui, un pur et dur même… et il n'a pas vu Saint Pierre si tu veux tout savoir !

— Alors il t'a dit les mêmes choses que l'expérienceur de Porto ?

— Exactement les mêmes. Il a fait une méningite et est sorti de son corps pendant qu'il était à l'hôpital. Il s'est vu d'en haut, il a pu apercevoir le personnel médical qui s'agitait autour de lui, enfin, de son corps, et puis un ange qui ensuite l'a accompagné dans différents états de conscience… tout pareil.

Les jeunes femmes continuent à échanger pendant plus d'une heure jusqu'à ce que le téléphone de Livia les fasse émerger de leur passion. « Oui papy, nous sommes rentrées toutes les deux, et on arrive ».

Lula a repris sa place derrière le volant, et c'est en bâillant qu'elle s'insère sur la rocade qui les mène à l'hôpital.

— Toi aussi, t'as pas beaucoup dormi, remarque Livia.

— Pas assez et très mal, effectivement, et surtout cette nuit. Mon avion était à sept heures et j'étais prête à minuit… en fait, j'ai juste dormi pendant le vol, c'est tout.

— Pour aller à Porto, je conduirai.

— Tu veux y aller cet après-midi directement ?

— Oui, plus vite on le revoit et plus vite on avance, après on se repose un peu et on continue le boulot de chez mon grand-père.

— Tu ne veux pas passer à la rédaction avant ?

— Franchement non, j'ai hésité et puis je me suis dit que Jonathan nous poserait tout un tas de questions pour lesquelles nous n'avons pas les réponses…

— Oui c'est vrai… ça aussi il va falloir le gérer, mais bon, on sait aussi où on va après.

— Exactement ma belle, National Geographic !

Les portes de l'ascenseur s'ouvrent sur le long couloir du service cancérologie. C'est initialement ici que le gros de son enquête devait se dérouler, et il n'était même pas question de faire équipe avec qui que ce soit se souvient Lula. Arrivées devant la chambre 242, elles entrent silencieusement puis font un sourire à Marcelino qui le leur rend aussitôt.

— Alors les voyageuses, ça a porté ses fruits vos petites escapades ?

— C'est bien plus que ça papy… bien plus que ça…

Elle se baisse pour l'embrasser puis laisse la place à Lula pour reprendre aussitôt.

— Est-ce qu'il y a, ou plutôt est-ce que tu as remarqué quelque chose de commun à tous ces expérienceurs ? Je veux dire, un détail qui revient avec les sujets, ou seulement avec certains ?

— Oui, ils ont tous fait une E.M.I ! répond Marcelino en riant avant de reprendre :

Je ne sais pas, à une époque je mettais en évidence la diversité des sujets étant donné leur âge, leur sexe, leurs croyances religieuses… En fait, j'ai constaté qu'aucune tranche ni catégorie n'était représentée plus qu'une autre, comme si c'était voulu… Ce que je veux dire, c'est que le fil conducteur s'il y en a un, enfin, si les sujets ont été choisis par je ne sais quoi ou je ne sais qui, ce n'est pas dans le but de mettre en lumière une catégorie de personne en particulier. D'après mes informations, cela a touché des enfants, des vieillards, des femmes, des pauvres et des riches, sans distinction, et surtout des religieux de tous bords jusqu'aux non-croyants, comme pour faire la nique à tout ce qui peut diviser les hommes et cela semble être voulu… Alors voulu par qui ? La voilà la bonne question.

— Et est-ce que ce « qui » pourrait être d'origine… Enfin, venu d'ailleurs ? Bon, on est entre nous et je pense que nous en avons suffisamment vu et entendu pour aborder le sujet... de façon sérieuse, disons.

— Mais oui ma chérie, tu as raison, c'est une possibilité.

— Le petit Mathieu ne parlait que de l'espace après son accident, et il en faisait des dessins aussi, de très beaux même, et surtout précis... Un peu comme cette artiste en Norvège dans la chambre du ministre.

— Je l'ignorais répond Marcelino.

— Et toi, de tous tes dossiers en cours, tu n'as jamais retrouvé un détail qui aille dans le sens de cette thèse ? Des étoiles ou des choses comme ça ?

— Mais si tu réfléchis bien ma chérie, tous les dossiers accréditent cette thèse... Plusieurs dizaines de personnes dans le monde qui font soudainement des choses surhumaines... toutes les religions y sont représentées pour ne parler que de ça, tant et si bien qu'elles s'annulent entres elles, alors... qui pourrait vouloir annihiler toutes ces croyances et plus globalement toutes ces différences... dans le but d'élever l'Humanité en lui faisant prendre conscience de son unité indissociable ?

— Ou de lui imposer son propre dogme, répond Lula.

— C'est effectivement une possibilité oui, mais quant à la question si oui ou non il pouvait s'agir d'une intelligence supérieure venant... disons, de là-haut, je pense que tout va dans ce sens justement, et je ne m'appuierais pas sur les dessins du gosse, ni même sur la peinture en Norvège pour dire ça...

Tous les trois se regardent à tour de rôle dans un long silence, silence qui vient fixer la dernière sortie de Marcelino :

— Quel beau métier que le nôtre ! Il faut chercher les filles, il faut chercher...

Sur l'autoroute de Porto, c'est finalement Lula qui conduit. Un nouveau rendez-vous est pris avec l'expérienceur en fin d'après-midi, et cette fois-ci, les jeunes femmes sont bien décidées à cibler leurs questions. Il n'avait d'ailleurs pas eu l'air surpris, ni même agacé lorsque Livia l'avait appelé en fin de matinée, comme s'il acquiesçait à l'avance d'aller plus loin dans ses réponses. Tout en restant éveillée, Livia part dans ses songes, et repense à ce cœur qui a disparu 10 ans plus tôt, puis Lula l'interpelle :

— Tiens, tu ne dors pas aujourd'hui ?

— Non, mais ce soir on dormira mieux tu verras. Tu prendras ma chambre et moi celle de mon frère, mais avant ça on se murge la gueule au porto !

— Ça me va ! Tranquille sous la véranda… et puis retomber un peu, parce que là…

— Mais d'abord, on va en apprendre plus sur ce type, tu vois où je veux en venir ? Lula tourne son visage souriant vers Livia.

— Évidemment ma belle ! On n'a pas eu besoin d'en parler en plus.

— C'est vrai, mais toi aussi tu penses vraiment qu'il a fait son E.M.I en 1986, comme les autres ?

— J'en suis sûre. Quelque chose me le dit.

***

— C'était en octobre 1976, j'avais vingt ans à l'époque.

Les deux jeunes femmes se regardent d'un air déçu, et Livia peine à reprendre.

— Et… Je sais que cette question vous a déjà été posée, et pas seulement par nous il y a trois jours, mais n'avez-vous vraiment rien ramené de cette expérience ?

— Si, et je vais vous répondre ce que je vous ai répondu il y a trois jours. La certitude que cette expérience était réelle d'une part, et aussi d'avoir à un moment donné de cette expérience, su tout sur tout.

— Et vous ne savez plus rien ? Enfin, de ce savoir universel auquel vous aviez accès ? L'homme prend une posture de réflexion et caresse sa bouche avec son index.

— Non, mais je sais que cela existe, que l'on aura les réponses à toutes nos questions un jour ou l'autre. Il y a en revanche cette notion d'unité que j'ai ramenée intacte, et celle-là m'aide à vivre d'une façon différente désormais, enfin, je ne vivais pas de la même manière avant.

— L'unité ? Vous nous en avez parlé effectivement, mais pouvez-vous rentrer dans les détails ?

— Eh bien… Le sentiment de faire partie d'un tout apporte la compassion. Lorsque vous faites le bien autour de vous, vous vous faites du bien à vous-même. L'inverse est exactement pareil. Frappez votre voisin au visage et vous ressentirez la douleur. Arrachez la branche d'un arbre en fleur et vous aurez l'impression que l'on vous ampute. On fait tous partie de un. d'un tout. Il y a une prise de conscience de l'unité. Notre univers et tous les autres univers qu'il peut y avoir autour sans mettre de limite, comme l'infiniment grand et l'infiniment petit, on fait tous partie de un. Quand je dis nous-mêmes, c'est notre propre personne, et la moindre brindille d'herbe en fait partie aussi. C'est un tout qui est indissociable.

C'est un, c'est l'un, d'une unité indissociable.
Il n'y a pas de mot pour expliquer ça.

Chapitre 3
Le doyen

Ce qui me bouleverse par-dessus tout, ce sont les possibilités à l'infini, pas l'une d'entre elles en particulier.

« Vous vous posez cette question Christoph ? Alors vous avez choisi la bonne voie… Je vous taquine, mais franchement : qu'est-ce qu'un scientifique comme vous, qui sacrifie dix ans de sa vie à aller à l'université, et qui ensuite choisi la physique quantique comme unique sujet d'étude peut bien se poser comme autre question que celle-là ? Vous vous posez cette question ? Alors vous avez choisi la bonne voie. Ni plus ni moins. Maintenant, si votre question était : et vous professeur, qu'en pensez-vous ? Eh bien… Je vous répondrai que le temps est une chose bien mystérieuse. Beaucoup plus même que la mort. Vous avez trente-trois ans Christoph ? Eh bien moi j'en ai cinquante-sept. Si l'on suit cette logique, enfin, la logique de la vie, eh bien… Je suis beaucoup plus près de la mort que vous, c'est exact ? Alors maintenant, je vous pose une question à mon tour… »

Christoph ouvre les yeux brutalement. La plupart du temps, il va jusqu'au bout de ce rêve, et c'est uniquement lorsque le doyen a fini de lui poser sa question qu'il se réveille, mais là, l'annonce du chef de cabine l'a fait sortir de son sommeil avec un pet bruyant.

« Mesdames et messieurs, nous amorçons notre descente sur l'aéroport de Paris Orly, merci d'attacher votre ceinture et de relever le dossier de votre siège... ». Christoph aperçoit d'un tour de tête tous les regards dans sa direction, puis attache maintenant sa ceinture et entend un enfant assis derrière lui. « Le monsieur il a pété... » Aussitôt repris par sa mère « tais-toi... ». L'hôtesse qui passe dans les allées fait quelque peu oublier l'évènement, et Christoph attarde son regard sur ses fesses lorsque celle-ci le dépasse. Les passagers situés aux alentours ne ratent rien de la scène, tant elle est visible, et tous semblent penser la même chose : « Gros dégueulasse... D'abord, il lâche une caisse, et après il reluque le cul de l'hôtesse ». Pour tout le temps de la descente et de l'approche, et malgré les changements d'assiette de l'avion jouant avec la gravité, tel un ascenseur fou, Christoph tente de se rendormir. Se rendormir ne serait-ce que cinq minutes, un sourire en coin à écouter les gens penser tellement fort que cela en devient presque audible. Se rendormir... « Je veux finir mon rêve, encore une fois, même si je connais la fin par cœur ». L'avion garé sur le parking du terminal, tous les passagers se lèvent, pressés d'en sortir, et tentant ne serait-ce que par des signes de tête faussement poli de passer devant les autres. Christoph reste assis et attend que l'avion se vide pour finalement s'insérer dans une file amoindrie. Il se déplie, puis prend son bagage à main dans le compartiment au-dessus. Une femme s'arrête net avant même de le dépasser, et cette fois-ci son sourire ne cache rien d'autre que de la gentillesse. Un signe de tête « Je vous en prie, prenez le temps de prendre votre sac ». Un petit bout de femme, mignonne et fluette.

Les passagers bloqués derrière elle ne semblent pas pester de sa décision, cette fois-ci, et tous la regardent, y compris dans la rangée d'à côté. Des sourires dans sa direction, vite dissimulés lorsque celle-ci tourne la tête vers eux. Dans le tunnel sortant de l'avion, un couple l'interpelle :

— Excusez-moi… Peut-on prendre une photo avec vous ?

— Mais bien sûr.

Elle se prête volontiers à cet exercice qui fait partie de son métier, comme pour tous les personnages publics. Christoph se retourne sans pour autant stopper sa marche, et se dit qu'elle doit avoir son petit succès en France. Lui qui est Autrichien et qui passe le plus clair de son temps aux États-Unis, n'est pas très au fait des célébrités de ce pays, même s'il l'adore, et plus encore que la France, Paris. « Ah Paris… » Il est amoureux de cette ville, « C'est viscéral », répond-il à chaque fois qu'on lui pose cette question : « Paris c'est magnifique, oui, mais à ce point-là ? ». Il a prévu d'y finir ses jours, il y pense sérieusement même. Il y ferait des conférences, ici, uniquement ici. C'est sur cet autre rêve désormais, et beaucoup plus accessible celui-là, qu'il entre par les petites portes coulissantes au terminal Ouest. « Un bel appart dans le vingtième, en face du Père Lachaise… Pour ensuite y être enterré ». Il adore par-dessus tout cet arrondissement, et le cimetière du Père Lachaise y est pour beaucoup. Il a pris l'habitude d'y passer un après-midi complet avec son ami de toujours, et ce à chaque fois qu'il pose ses valises à Paris, y compris lorsqu'il n'y séjourne qu'un petit week-end. Une fois ses bagages récupérés, il passe dans l'entonnoir où attendent les familles et les proches des passagers, alors que certains sont avec de simples pancartes. Il cherche son nom sur l'une d'elles, quand un petit homme montre le bout de son nez :

— Christoph !

— Tiens, tiens petit cachotier… je croyais que tu ne pouvais pas venir me chercher ? ça, ça veut dire bonne surprise ? Non ?

— On va aller boire le café ensemble dans un petit troquet parisien, c'est ça la surprise ! Je t'invite, croissants à volonté aussi, parce que je suis sûr que t'as fait que picoler cette nuit dans l'avion…

Les deux hommes s'embrassent comme de bons et vieux amis, puis David reprend.

— Ouais… Tu pues le whiskey à cent mètres…

— Alors là, tu commences déjà à exagérer. J'ai fait le vol de nuit, et pas d'apéro la nuit. Juste de la bière !

— T'en as bu combien ?

— Autant que le nombre de fois où j'ai fait chier l'hôtesse pour aller m'en chercher une… peut-être cinq ou six.

— T'as vraiment dû la faire chier, ouais. T'es pas ballonné avec tout ça ?

— Si ! J'ai craqué une perlouse ce matin quand tout le monde était réveillé !

— La grande classe effectivement… Bon, je te retrouve trois mois après et t'as pas changé, en tous cas ça fait plaisir.

Les deux hommes se dirigent vers la sortie. Christoph se retourne sur cette femme qu'apparemment tout le monde connaît. Il regarde David : « Attends », puis se dirige vers elle :

— Bonjour madame, mademoiselle ? Je me présente, professeur Breck.

Il lui tend une carte de visite que celle-ci prend avec le sourire.

— Je viens à Paris pour faire une conférence ce matin à 11 h, et j'aimerais beaucoup vous y voir, en fait je voulais vous remercier pour votre gentillesse dans l'avion… Comme ça, sur les coups de six heures du matin, ça tranche avec le reste des culs serrés, et… vous avez égayé ma journée !

— Eh bien… Comme technique de drague, on ne me l'avait jamais faite !

— On ? On est un con, mademoiselle… Madame ?

— Madame… Désolée ! Pour ce qui est de votre invitation…

Elle regarde la carte de Christoph plus en détail :

— Prix Nobel de physique en 2012 ? Ah oui, rien que ça… Pourquoi pas ? C'est où ? Je ne vous dis pas que je viendrai, mais pourquoi pas !

— Salle de conférence du Ritz, à 11 h, et vous m'en verriez ravi ! Madame ? Je veux dire, votre petit nom ?

— Langlois.

— C'est un prénom courant ça en France ? Jamais entendu…

— Marina, c'est mieux effectivement…

— Vous êtes célèbre ? Vous présentez le JT ou quelque chose comme ça ?

— Je suis comédienne, alors les gens me connaissent comme ça…

— Ah oui ! Ce n'est pas rien ça. Je suis désolé, je ne suis pas beaucoup en France, à vrai dire avec ma notoriété, je voyage beaucoup, et…

— Inutile d'essayer de m'impressionner, je vous l'ai dit, je suis mariée.

— Je suis incorrigible ! Pardonnez-moi madame. Alors, je l'espère à tout à l'heure ?

Et bien sûr, venez avec votre époux…

— Je vous ai dit pourquoi pas. Je n'ai rien de prévu aujourd'hui, lui non plus.

Christoph salue poliment Marina en se baissant légèrement « À tout à l'heure, madame. Ce serait un honneur ». Il rejoint

David, et celui-ci le suit du regard avec un petit sourire et un hochement de tête, comme dépité :

— T'as vraiment une bite à la place du cerveau… Tu sais qui c'est celle-là ?

— Maintenant oui, elle vient de me le dire. Elle m'a aussi dit qu'elle était mariée.

— Et donc tu cherches encore… J'te connais gros dégueulasse !

Arrivés au parking après deux minutes de marche, ils montent dans la petite Citroën Saxo de David, et c'est en mettant sa ceinture que Christoph se moque de son ami.

— Professeur Companion, vous faites des folies avec votre argent… De tous les physiciens, vous êtes le plus frimeur… Mais quelle belle voiture !

— Ma bagnole elle a trois cent mille kilomètres… Elle dure dans le temps, comme immortelle… Trouve-moi une charrette qui serait plus en adéquation que celle-là pour quelqu'un comme moi, comme nous, qui recherchons une réponse sur la question du temps. Alors ? Je t'écoute ? En plus, elle est verte, la couleur de l'espérance…

— Si t'espères choper des petits fions avec ta bagnole… C'est vrai, pour draguer c'est pas top quand même…

— T'es un goret. Tu ne penses qu'à ça… Le cul, le cul, le cul… Tu descends de l'avion et tu t'attaques directement à une actrice dans un hall d'aéroport en plus…

— Oui monsieur ! J'ai cinquante-huit ans et je suis en bonne santé !

— Tiens au passage, la santé, ça va ? Je veux dire : tu bois comme un trou et tu fumes comme un pompier. Alors ? À quand remonte ta dernière prise de sang ?

— Il y a six mois et je t'emmerde.

David sourit de cette exclamation, étouffant même un petit rire. Il allume l'autoradio puis appuie sur le sélecteur de canaux programmés, jusqu'à ce que France Info apparaisse sur la façade numérique. Il monte le volume :

— 7 h 28, dans deux minutes c'est le journal.

— Ah ! et on parle de moi c'est ça ?

Après l'annonce des gros titres et le déroulé du journal, la dernière information est en effet consacrée à Christoph et à sa présence à Paris :

« Le professeur Breck, prix Nobel de physique en 2012 est à Paris pour une conférence. Des physiciens de renom, mais aussi des anonymes, tous tirés au sort après en avoir fait la demande y assisteront. Notre correspondant sur place a recueilli le témoignage de l'un d'eux : "Bonjour, vous vous appelez François-Xavier, et vous aurez la chance d'assister à la conférence du professeur Breck tout à l'heure, alors qu'est-ce qui vous a motivé à venir ici aujourd'hui ?" : "C'est déjà l'écouter parler, en personne je veux dire, et surtout si je peux lui poser une question ce serait vraiment formidable !". »

« Pfoo, ils veulent tous me poser des questions, toujours la même en plus, et je leur réponds toujours la même chose... Font chier ces péquenots... », lâche Christoph en sortant une cigarette de son paquet pour la porter à ses lèvres.

— Ah non ! Tu vas pas fumer !

— Quoi ? Tu t'inquiètes tant que ça pour ma santé ?

— Non, rien à foutre de tes poumons... C'est juste que... pas dans ma bagnole !

— Quoi ? Elle est sous garantie ta merde ? J't'achète une BM si tu veux, mais là tu me fous la paix, je viens de me pédaler huit heures d'avion avec des connards et où je pouvais pas fumer, alors tu vas pas me faire la même !

David ouvre la vitre de sa portière en s'activant sur la manivelle.

— Putain... ouvre ta fenêtre alors !

— Il est où le bouton de lève-vitre ? répond Christoph en ricanant.

Sans réponse de David, il s'emploie à son tour pour recracher la fumée de sa première bouffée à l'extérieur.

— On va où d'abord ?

— Je t'ai dit café croissants dans un troquet PMU.

— Que tous les deux ?

— Mais non canaille... J'ai une surprise.

Il faut à Christoph trois petites secondes de réflexion pour finalement hurler de joie :

— Je t'adore ! Il est arrivé quand le ch'timi ?

— Hier, il a dormi à la maison. Il m'a foutu un bordel je te raconte même pas...

— Bien ! il est en forme, c'est super. Et là il nous attend au café ?

— Oui, mais attention ! Pas de blanc avec le café d'accord ? Ni de liqueurs, ni quoi que ce soit d'autre qu'un café et des croissants... Je te rappelle que tu as une conférence à 11 h, d'accord ?

— Oui papa ! Ça fait quand même plaisir de le voir le Philou...

Christoph et Philippe sont amis depuis trente ans. Ils se sont rencontrés lors du salon de l'agriculture de Paris, et ne se sont jamais vraiment éloignés depuis. Ils ont pris l'habitude de se revoir, toujours à Paris pour des beuveries d'adolescents, adolescents qu'ils sont restés. L'un entraîne toujours l'autre, et David n'est jamais loin pour les récupérer, soit en perdition dans les endroits les plus improbables de Paris et sa banlieue, soit au commissariat de quartier. Une franche et belle amitié a tout de suite vu le jour entre les deux hommes, mais aucun d'eux n'est complètement responsable. David joue toujours le rôle du père dans leur histoire, et il leur arrive même de lui demander son autorisation pour une sortie, les soirs où les deux acolytes sont réunis dans son luxueux duplex du 8ᵉ arrondissement.

— Qu'est-ce qu'il a fait chez toi ? Il a vidé ton bar ?

— Tu penses bien que j'avais pris la peine de cacher les bouteilles avant, mais il avait amené la sienne et il a pissé dans l'ascenseur ce con... Alors les voisins m'ont appelé, et il était en train de se prendre la tête avec le concierge au moment où je suis arrivé... Normal, quoi.

Christoph tente d'étouffer un début de ricanement dans son poing et en détournant la tête, mais celui-ci finalement impossible à contenir se transforme en fou rire. La Saxo verte s'engage sur le périphérique intérieur par la porte d'Orléans, et David accompagne d'un petit sourire le rire de Christoph devenu spasmodique. Ils sortent par la porte Dauphine et arrivent dans le 17ᵉ arrondissement où David entame un créneau sur une place privée devant le bar « Le Balto ». Christoph sort de voiture aussitôt qu'il aperçoit Philippe sur le trottoir, et les deux amis se jettent dans les bras l'un de l'autre. Une interminable étreinte qui prend fin au moment où David les rejoint.

— T'aurais pu attendre que je finisse de me garer non ? T'as vu que t'as tapé la portière ?

Philippe ne rit plus. David lui a fait la morale une bonne partie de la nuit après l'affaire de l'ascenseur, le menaçant même de le laisser dormir dans la rue. C'est en se mettant en retrait qu'il écoute Christoph lui répondre :

— Désolé, excuse-moi... Mais j'étais tellement pressé de lui faire un câlin !

David rentre dans le bar sans un mot. Les deux compères restent sur le trottoir, se regardent, se comprennent et semblent se dire : « Tu sais ce que j'ai fait hier soir ? » et « Oui je sais, t'étais bourré et t'as pissé dans l'ascenseur ».

Ils rentrent à leur tour et aperçoivent David au bar. Un signe de tête de Philippe à Christoph en direction d'une table, et ils s'y dirigent. Un ballon de blanc vide ainsi qu'un café et des miettes de croissant sur le Parisien ouvert à la page de l'horoscope. Ils s'assoient en vis à vis puis observent, une ultime fois, David au bar. Celui-ci semble bouder pour de bon. Les enfants terribles se regardent encore, un petit sourire forcé, comme rongé par la culpabilité d'avoir fait une bêtise plus grave que les autres.

— La même chose ?

— Oh que oui… Un bon petit muscadet, ça m'enlèvera le goût de la bière. Philippe fait signe à la serveuse, et celle-ci arrive pétillante jusque dans sa démarche.

— Ma chérie Stéphanie… Je te présente le professeur Breck, prix Nobel de physique, rien que ça.

— Je sais qui c'est. Un sourire en direction de Christoph. J'ai lu un Science et Vie une fois, et il y avait une double page sur votre théorie, enfin… Je ne sais pas si c'était votre théorie, mais le titre de l'article était « Et si rien n'existait ? Et si tout n'était qu'illusion ? »

— Oui ma princesse, c'est bien moi et c'est effectivement ma théorie. Dans cet article, il était question de représentation mentale, enfin, de la façon dont notre cerveau se représente le monde, mais… Je pense que nous ne sommes ni au bon endroit ni avec les bonnes personnes pour parler de ça. Je peux vous proposer quelque chose ? Si toutefois bien sûr vous désirez avoir un éclaircissement sur cette hypothèse, et avec l'auteur lui-même…

— Oui… Enfin comment ça ?

— Eh bien, je dois donner une conférence en fin de matinée, devant un parterre de gens célèbres non seulement dans la profession mais aussi dans le monde du spectacle, comme des acteurs…

Stéphanie semble impressionnée, et s'attend désormais à ce que Christoph lui propose d'assister à la conférence.

— Je vous dis ça dans le sens où je suis obligé d'y aller, c'est une obligation à laquelle il va falloir que je me plie, et… ensuite, cet après-midi, il y a les séances dédicaces, les interviews télé, enfin… Je peux vous proposer un dîner ce soir ?

Philippe se cache en gloussant quand Stéphanie comprend sur le champ, et en même temps que lui, l'idée cachée de Christoph. Elle lui répond d'un air qui ferait craquer le plus dur des hommes, avec un sourire radieux et la tête penchée :

— Est-ce que mon mari pourrait venir ?

Cette fois, Philippe ne se cache plus, et il se moque ouvertement de Christoph avec un « Prends ça dans ta gueule ! ».

— Mais… bien évidemment madame Stéphanie ! Appelez-le pour le lui proposer, je n'essayais pas de vous faire du gringue !

David apparaît alors et se tient à côté de Stéphanie en dévisageant Christoph.

— Il faut que je te parle.

Il s'assoit sur la banquette lui faisant face, mais n'a pas le temps de reprendre la parole.

— Ça va… Je bois un dernier Muscadet et après je vais la faire ta conférence…

— C'est pas ça. Enfin si, tu fais chier à picoler dès huit heures du mat, mais je dois te parler d'autre chose. Le doyen est à Paris et il t'attend chez lui ce soir.

Les deux hommes se regardent sans un mot. Christoph est abasourdi par cette nouvelle.

« Vous êtes encore jeune Christoph. Lorsque vous serez prêt, je vous dirai ce que j'ai découvert sur le temps. » Le doyen lui avait sorti cette phrase il y a longtemps, juste après sa thèse. Jamais, jamais il n'aurait cru qu'un jour il irait au bout de ce que Christoph considérait dès lors comme une promesse. Il ne l'attendait plus cette nouvelle. Il ne faisait qu'en rêver.

— Tu l'as vu ?

— Non. C'est le professeur Bernard qui a joué les messagers.

— Quoi ? Thibaut est au courant ?

— Il sait que tu vas le voir. C'est tout. Mais le vieux ne lui a rien dit. C'est sûr.

Stéphanie revient avec un plateau et s'adresse à Christoph :

— Plus sérieusement, je suis mariée, mais mon époux n'est pas là. En revanche, ma mère voudrait bien venir, enfin, si vous êtes toujours d'accord…

— Oui mademoiselle. Sans problème.

Stéphanie perçoit l'ambiance, une ambiance si lourde, contrastante avec la bonne humeur d'il y a à peine quelques instants. Elle pose les consommations, puis retourne muette vers le bar. Christoph l'interpelle alors qu'elle a déjà fait quelques pas :

— Ramenez la bouteille s'il vous plaît, enfin non, ramenez-en une pleine en plus de celle-là.

Les trois hommes se regardent, et Philippe, bien que n'étant pas scientifique, peut sentir la peur dans les yeux de son ami. De la peur mêlée à l'envie de savoir. Savoir quoi ? L'agriculteur qu'il est ne comprend même pas de quoi il s'agit. Il connaît son ami, et peut seulement le percevoir. Percevoir cette chose. David brise le silence en premier :

— La journée va être longue. Si tu commences au Muscadet dès huit heures du matin, dans quel état tu vas être ce soir ? Tu as une chance inouïe, chance que je n'ai pas, que personne n'a. Tu me fais penser à un joueur de foot, la star de l'équipe qui passe une semaine de préparation entre les putes et les boîtes de nuit avant une finale de coupe du monde. Il faut que tu te réveilles Christoph.

— J'ai besoin de ça pour me réveiller, alors fais pas chier. Ce soir, j'y serai, oh que oui. À quelle heure ?

— Le vieux t'attend chez lui à 18 h. S'il ne casse pas sa pipe avant. Cancer généralisé. Il est sous dialyse, et assistance médicale à domicile. Il sait que le temps lui est compté, alors il doit transmettre ça, ce qu'il sait. Et il t'a choisi, toi. Fais chier. Il choisit un poivrot dégueulasse comme toi pour lui enseigner ce qu'il a appris sur le Temps.

— Il m'a choisi il y a bien longtemps, va. À l'époque, je n'étais pas l'homme que je suis aujourd'hui. Je dirais même que si je suis comme ça, c'est à cause de lui.

— Ne lui fous pas ça dans la gueule ce soir.

— Pas besoin, il le sait. Il sait des choses sur moi que tu ne sais pas, que Philippe ne sait pas. Voilà pourquoi il me dira tout, à moi et à personne d'autre.

Stéphanie revient avec deux bouteilles de Muscadet dont une à moitié pleine, puis les pose sur la table.

— J'ai pris un troisième verre pour monsieur…

David lui répond sans même prendre la peine de la regarder, un simple signe de main, ses yeux toujours dans ceux de Christoph.

— Pas pour moi, merci. Un autre café, un double.

Stéphanie ne part pas, mais s'enfuit. Voilà deux minutes que les hommes ont perdu leur sourire. Christoph l'appelle, encore une fois lorsque celle-ci arrive au niveau du bar, et il lui tend sa carte, toujours en regardant David :

— Pour ce soir, venez avec qui vous voulez. Votre mère, votre mari imaginaire, votre sœur, votre frère, vos amis…

Il tourne maintenant la tête dans sa direction, et un sourire vient lever le climat pesant qui s'était installé :

— Mais vous, toute seule c'est bien aussi ! Je pensais au « Fouquet », sur les Champs-Elysées, naturellement je vous invite, ainsi que tous les hypothétiques convives…

Stéphanie prend sa carte, son joli visage virant au rouge :

— Je suis en couple… Et ma mère viendra.

— Dans ce cas, il ne sera question que de physique. Voilà un autre sujet que je maîtrise. Disons, 20 h ?

— Très bien. Je suis vraiment touchée.

Elle se rend maintenant derrière son comptoir sur un ultime « Je vous ramène votre double » en direction de David. Philippe attrape la bouteille entamée de Muscadet, puis remplit deux verres. Il leur faudra une heure entière pour en arriver à bout, et c'est en se servant un ultime vin blanc que David les sort de leur discussion remplie de passion, où il a été question de balade cet après-midi en bateau-mouche, pour finir ensuite par le Père Lachaise :

— C'est bon ? T'es chaud ? J'veux dire, t'es chaud pour ton one man show ?

— Absolument ! On va se fendre la gueule ! Et Philippe faut qu'il me pose des questions aussi, qu'on rigole un peu ! Il va passer à la télé…

C'est en taxi que les trois hommes se rendent au Ritz et Christoph s'assoupit presque volontairement pendant le trajet, comme pour repartir dans ses songes.

« Maintenant, si votre question était : et vous professeur, qu'en pensez-vous ? Eh bien… Je vous répondrai que le temps est une chose bien mystérieuse. Beaucoup plus même que la mort. Vous avez trente-trois ans Christoph ? Eh bien moi j'en ai cinquante-sept. Si l'on suit cette logique, enfin, la logique de la vie, eh bien… Je suis beaucoup plus près de la mort que vous, c'est exact ? Alors maintenant, je vous pose une question à mon tour. Qu'est-ce qui pourrait me rendre la vie éternelle ? » Christoph ne répond pas sur le champ. Cela lui paraît tellement ésotérique comme question. Il réfléchit, puis d'un petit sourire, et à deux doigts de répondre avant de se reprendre. « Allez-y, n'ayez pas peur ».

« Eh bien, une potion de rajeunissement, quelque chose comme ça… que vous prendriez tous les ans… ». « C'est exact. Seulement voilà, Spielberg est un cinéaste. Rien de tout ça n'est réel. Le temps, lui, l'est. Il est même fondamental à la vie, qui avec le temps entraîne la mort. Percez la mécanique du temps, et vous aurez la vie éternelle. La percer puis la maîtriser. Ceux qui maîtrisent le temps maîtrisent la vie. Vous n'êtes pas prêt à entendre ce que j'ai à vous dire à son sujet. Vous le serez un jour, et ce jour-là je vous le dirai ».

C'est encore en sursaut que Christoph se réveille, cette fois-ci sous les secousses énergiques de David. Il ouvre les yeux, et c'est en pleine possession de ses moyens qu'il relâche son sphincter dans un énorme pet sur un « Ah… » de satisfaction, qui fait se retourner le chauffeur de taxi.

— T'es vraiment un porc. Tu me fais honte devant monsieur… Philippe quant à lui rit aux éclats.

— Ça va… Je vais lui laisser un bon pourliche au Parisien !

Il s'adresse au chauffeur sous les rires redoublant d'intensité de Philippe

— Je suis amoureux de Paris, monsieur ! Et le simple fait de m'y trouver me fait me sentir bien, vous pouvez comprendre ça ?

Ils descendent de voiture, et Christoph sort un billet de cinq cents dollars de son portefeuille puis le tend au chauffeur sous le regard de David.

— Ah, tu rêves hein ! Combien je peux m'en payer des Saxos avec cinq cents dollars…

Le taxi les a amenés directement devant l'entrée du luxueux hôtel, et les équipes de télé se ruent sur lui. Les journalistes lui posent une foule de questions, des questions se couvrant entre-elles dans un brouhaha.

— Messieurs s'il vous plaît, je vous recevrais en conférence de presse après mon allocution, en attendant soyez gentil, laissez-moi respirer… Je ne suis plus tout jeune, vous savez ! Et vous pouvez comprendre que l'oxygène est nécessaire à la vie… !

Les rires se propagent parmi les professionnels de l'Information, puis Christoph aperçoit Marina devant les escaliers de l'hôtel.

— Eh bien vous voilà ! C'est un immense honneur que vous me faites… Et monsieur votre mari ?

C'est avec les caméras braquées sur eux et les flashs des appareils de la presse écrite que l'entrevue est immortalisée. Deux célébrités, une aubaine pour les reporters.

— Mon mari n'a pas pu se joindre à moi, mais il vous transmet ses amitiés.

Encore un revers, filmé celui-ci.

— Dans ce cas, vous déplacer seule en dit long sur votre intérêt pour moi.

— Vos travaux m'intéressent, oui, à vrai dire j'en avais entendu parler, mais j'ai passé la matinée sur internet pour ne pas avoir l'air trop idiote lorsque je vous poserai ma question.

— Et en plus, vous avez une question ! Allons-y de ce pas alors, j'ai hâte d'y répondre.

Ils rentrent maintenant, et des hommes en tenue impeccable et sans faux plis qui attendent devant la porte se mettent sur le côté avec des « Bienvenue Professeur ». Sur toute la distance qui les mène jusqu'à la salle de conférence, Christoph ne tente pas d'imaginer quelle sera la question de Marina. C'est évident : « La place de Dieu dans tout ça ? ». Là où d'ordinaire il répondait toujours par un simple « Dieu ? Pourquoi pas… » Il a désormais la ferme intention de répondre franchement, de façon que plus personne après elle ne le la lui pose. Arrivé derrière le pupitre, il contemple une salle pleine à craquer qui l'applaudit. Le maître de conférences prend alors la parole.

« Mesdames et messieurs. En ce jour, une conférence dirigée par le professeur Breck, prix Nobel de physique en 2012 pour ses travaux sur la mécanique quantique, et plus spécialement son époustouflant essai sur le Temps, va nous être offerte ». Christoph s'approche maintenant du micro : « merci ». À cet instant précis, il ne regrette pas les huit verres de Muscadet. Il regarde l'audience, et à bien l'intention de faire le « one man show » que craint David. Il inspire, puis décide de prendre la parole sur une blague dans le but de donner le ton.

— Les nourritures biologiques ? À vrai dire, je n'y connais pas grand-chose…

Rire franc de la salle, puis il poursuit sans laisser le temps au parterre d'anonymes, de journalistes et de physiciens de restaurer le silence :

— Que sait-on vraiment de la réalité ?

Une mouche bleue volant près de l'extincteur à l'entrée de la salle se fait entendre.

— Le cerveau peut faire des milliers de choses. Mais, car il y a un mais, le cerveau ne fait pas la différence entre ce qu'il voit, et ce dont il se souvient. Voyez-vous où je veux en venir ? Comment peut-on continuer à voir le monde comme une réalité ? Sachant que le « moi » ou le « vous » si vous préférez, qui établit qu'il est réel, est intangible ? Voilà une question à laquelle la mécanique quantique répond, du moins du peu de ce que nous en savons. Oui, excusez-moi… « intangible » veut dire « qui échappe au toucher, qui n'est pas palpable ». Est-il possible maintenant que toutes les possibilités puissent exister en même temps ?

Son public est suspendu à ses lèvres. « C'est gagné, se dit-il. Je pourrais lâcher une caisse qu'ils attendraient patiemment que je reprenne. »

— Bien… avant d'aller plus loin, je pense que certains d'entre vous ont peut-être déjà des questions sur ce que je viens de dire ?

Des doigts se lèvent de part et d'autre de la salle, puis Christoph, égal à lui-même, choisit non seulement une femme, mais jeune et belle de surcroît :

— Madame ou mademoiselle ?

Une jeune femme brune et athlétique prend alors la parole, encore sous le choc d'avoir été choisie par le professeur en personne :

— Quand vous dites…

— Présentez-vous belle demoiselle. Un sourire en coin.

Un rire montant l'accompagne :

— Aurélie Dumon, 28 ans… Éducatrice.

230

— Quel joli nom pour une jolie femme ! Je vous écoute Aurélie.

— Lorsque vous dites que le cerveau ne fait pas la différence entre ce qu'il voit et ce dont il se souvient, où voulez-vous en venir ?

— Eh bien, prenez cet exemple bien précis : les historiens s'accordent tous sur un point, enfin, un fait historique qui remonte à la découverte de l'Amérique par Christophe Colomb. Lorsque les escadrilles de bateaux sont arrivées sur leurs côtes, les Indiens ne les voyaient pas... Pas comme les Allemands le jour du débarquement en Normandie par exemple. La raison à cela, c'est que les Indiens ignoraient ce qu'était un bateau. Il y en avait pourtant une sacrée flopée au large, alors... Ils regardaient la mer, sachant néanmoins que quelque chose de bizarre s'y passait, mais ils ne voyaient pas les bateaux. Pour le débarquement en 44, les Allemands, eux, les ont vus arriver de loin... Alors pourquoi ? Eh bien, les Allemands savaient ce qu'était un bateau. Leurs cerveaux leur ont dit : attention ! Les Indiens, eux, l'ignoraient. Il a fallu qu'ils s'approchent suffisamment de la côte pour que ceux-ci ne puissent plus être invisibles. Alors voilà où je veux en venir : notre cerveau peut voir des choses qu'il ne connaît pas, et donc ne les retransmet pas. C'est impossible pour lui ! Vous comprenez ?

Aurélie se rassoit en hochant la tête et en souriant, puis redonne le micro au régisseur.

— Bien ! Vous m'en voyez ravi... Je vous préviens tout de suite, je ne donnerai la parole qu'aux personnes qui ont des questions intelligentes à me poser, comme celle-là, et la gent féminine dans la trentaine semble avoir conquis mes cellules grises par l'intermédiaire de cette charmante personne...

Son public est conquis. Joindre l'utile à l'agréable, sans que cela se voie trop, est un art dans lequel il excelle.

— Je reprends. Le Temps maintenant : les physiciens, comme tous les philosophes, et ne me demandez pas de vous les nommer, j'étais nul en philo…

Le public rit aux éclats à cet aveu.

— Donc, tous les philosophes, ce qui m'évite de les énumérer un par un, ont longtemps disserté sur le concept de Temps : est-il un absolu ? Le subit-on ? Y a-t-il une flèche irréversible du temps ? Et puis surtout… Qu'y avait-il avant le temps ? Hé, je sens déjà ma tête qui commence à tourner, alors j'imagine la vôtre… Une question peut-être ? Oui, monsieur avec la veste en cuir.

— Bruno Grunenwald, fonction publique.

— Hou là là… La fonction publique, surtout dans votre pays, est une question métaphysique à part entière ! Dans quelle branche de la fonction publique ?

— La fonction publique…

— Très bien, j'arrête de vous taquiner… Posez votre question Bruno.

— Quand vous dites : qu'y avait-il avant le Temps ? Vous-même, avez-vous ne serait-ce qu'un début de réponse ?

— Si j'avais ne serait-ce qu'un début de réponse comme vous dites, j'aurai la réponse tout court en fait, et donc… Je le maîtriserai, ni plus ni moins. Maintenant, si je le maîtrisais, pensez-vous que je serais ici à répondre à vos questions ? Non, je serais à l'époque de Jules César, dans une orgie romaine !

La salle éclate de rire.

— Mais vous pourriez faire les deux !

— C'est exact ! Mais je choisirais néanmoins de rester à l'époque de Jules César…

La conférence se poursuit sur ce ton pendant plus d'une heure. Un déballage de savoir de la part de Christoph ponctué de rire général, en moyenne toutes les cinq minutes. Même lui, qui n'était pas arrivé spécialement enchanté de se plier à cet exercice, en a oublié l'heure. Les sujets qu'il tente de simplifier se succèdent les uns après les autres, et pour une ultime question, il choisit de donner la parole à un homme de taille moyenne et au crâne dégarni, la petite trentaine, et tenant un enfant dans les bras. Alors que la question du moment était l'infiniment petit et inversement, l'homme semble gêné lorsque Christoph lui donne la parole.

— Monsieur, je vous écoute :

— Oui, eh bien… Je voulais revenir sur la question du Temps…

— Effectivement ! Et justement, ce sujet était d'actualité il y a une heure… Mais bon, je vous écoute, et commencez par vous présenter comme tout le monde l'a fait avant vous, ainsi que votre fils, il a peut-être une question pour moi lui aussi !

La salle est attendrie par ce petit bonhomme, puis l'homme se présente.

— Adriano Del Piero, 32 ans, biologiste, enfin… les nourritures de demain…

— Je vois tout à fait ! Lorsque vous aviez des cheveux, ceux-ci n'ont-ils pas été sacrifiés en dreadlocks par hasard ? J'imagine que vous aviez une guitare, et que vous êtes végétarien aussi ? J'arrête de vous embêter, allez, poursuivez Adriano.

— Lui c'est mon fils Mathieu, il a 6 ans.

Un rire mêlé à une nouvelle exclamation de tendresse, puis Adriano reprend.

— Voilà, vous disiez tout à l'heure que nous ne maîtrisions pas le Temps, mais imaginons une civilisation plus avancée, qui elle le maîtrise ?

— Une civilisation extra-terrestre, oui, appelons un chat un chat.

— C'est bien ça.

— Et alors ?

— Eh bien ma question... La voilà : qu'en pensez-vous ?

— Si une civilisation extra-terrestre possédait la technologie nécessaire pour... à vrai dire, il n'est peut-être pas question de technologie du tout... ni de physique. Cela pourrait être un état d'esprit à bien y réfléchir...

Adriano le coupe pour reprendre :

— Je suis d'accord avec ça. Une civilisation pacifique, car bien plus avancée que la nôtre, et donc... La physique, ou... du moins cette chose, cette force qu'est le temps lui dévoilerait ses secrets, sans crainte pour l'avenir...

— Ou pour le passé !

— C'est exact oui.

— C'est une question très intéressante. Je vais me la poser continuellement maintenant... Comprenez par-là que je n'ai pas la réponse. Je vous remercie en tout cas, maintenant je vais avoir du mal à m'endormir grâce à vous !

— Je suis désolé...

— Messieurs dames, une dernière question de votre part pour finir cette conférence, et après, eh bien... J'ai faim !

Encore des rires. Il les a dans sa poche, c'est un fait se dit David, resté debout dans un coin de la salle depuis le début. Marina lève le doigt parmi tous, et c'est désormais dans une ambiance de salle de classe que Christoph rétablit le calme par ces mots :

— Je vous en prie ! S'il vous plaît ! Je ne vais pas pouvoir tous vous satisfaire, alors je prendrais deux personnes que j'ai déjà choisies, ce sera monsieur devant moi, qui lève désespérément le doigt depuis le début, et ma désormais grande amie Marina. Elle en premier.

Ils échangent un sourire, puis Marina se lance une fois le calme revenu :

— Marina Langlois, 38 ans, comédienne.

Le public ne l'avait pas remarquée jusque-là.

— Voilà, je vous entends parler de physique depuis le début, et je voudrais savoir une chose : quelle place laissez-vous à Dieu dans tout ça ?

La voilà la fameuse question. Christoph l'attendait, habitué d'y répondre à chaque conférence, et comme à chaque fois, la personne qui la pose est persuadée d'être la première.

— Je vais être tout à fait franc avec vous. D'habitude, je réponds, car oui, j'ai l'habitude de cette question... D'habitude, je réponds : « Dieu ? Pourquoi pas ? » Aujourd'hui, je vous dis : « Un physicien ne peut se permettre de voir ses calculs embrouillés par sa foi en un créateur surnaturel. ».

La mouche de tout à l'heure semble revenir. Christoph coupe court à ce malaise, et interroge la dernière personne, celle qu'il avait désignée précédemment. Il accompagne sa phrase d'un doigt tendu dans sa direction.

— Monsieur, c'est à vous.

Un homme d'une trentaine d'années se lève, visiblement ému, comme le reste de la salle depuis cette dernière parole de Christoph. Il prend maintenant le micro que lui tend le régisseur, et tremblant, se lance et se présente :

— François-Xavier Kowalski, 35 ans.

— Holà... J'vais vous demander de me l'épeler...

Personne ne rit ni ne prend la peine de faire semblant.

— Je vous écoute jeune homme.

— Ma question était la même que madame.

C'est sur cette ultime déclaration, qui aura plombé plus d'une heure de jovialité en l'espace de quelques minutes, que la conférence se termine. Tous sortent maintenant de la salle, mais les discussions de basse-cour commencent aussitôt. Christoph descend de son estrade puis se dirige vers Marina. Un signe de main au jeune homme qui est intervenu en dernier, et il les fait se réunir tous les trois, puis il les emmène loin du tumulte de la salle qui se vide.

— Que faites-vous ce midi, je veux dire, accepteriez-vous tous les deux de vous joindre à moi pour le déjeuner ?

Alors que le jeune homme semble interloqué, Marina répond sur le champ par l'affirmative. « Je ne serai pas toute seule, et puis il a compris qu'avec moi ce n'était plus la peine d'espérer », se dit-elle.

— Jeune homme ? J'ai très envie d'aller plus loin sur vos questions, à tous les deux, mais en aparté cette fois-ci.

— Oui, bien sûr…

— Ce sera un petit restaurant que j'affectionne tout particulièrement, à vrai dire, je connais bien le cuisinier, et j'ai réservé une table…

Les deux privilégiés s'attendent néanmoins à ce que le standing de ce restaurant ne soit pas une brasserie habituée à servir des plats du jour, et c'est sur cette question qu'ils se posent désormais qu'ils suivent Christoph.

— Nous allons prendre un taxi, ce n'est pas très loin. Nous y serons en cinq minutes.

Une fois sur le perron de l'hôtel, David l'interpelle :

— Eh, faut que tu parles aux journalistes maintenant, tu te rappelles ? T'as une conférence de presse là…

— Non, j'ai la dalle et j'me casse. Toi et Philippe je vous retrouve après. Je vous appelle.

David soupire. La conférence s'est pourtant bien passée, mais le simple fait de refuser de voir les journalistes risque de les agacer, et pour leurs papiers, sûr que cet épisode sera mentionné. Un taxi attend déjà devant l'entrée, et Christoph prend place à l'avant après avoir fait monter ses deux invités à l'arrière. François Xavier ne s'attendait pas à ça : non seulement, il allait avoir une réponse à sa question, du moins, une explication plus en détail, mais il est aussi dans un taxi avec deux célébrités à bord. Christoph donne l'adresse au chauffeur, et lorsqu'ils entendent « Centre Pompidou », Marina et François-Xavier s'imaginent déjà s'asseoir à une table du restaurant situé au dernier étage du bâtiment moderne et controversé. Garé exactement devant, les escalators prisonniers dans leurs tubes semblent bondés. Ils descendent de voiture, et Christoph après avoir lourdement payé le chauffeur, commence à s'engager sur le parvis en enjoignant ses invités à le suivre :

— J'adore cet endroit. Des artistes de rue, des peintres, des musiciens… j'y passerais des heures entières, d'ailleurs, j'y passe des heures entières !

Ils s'approchent d'une jeune fille jouant d'un instrument à vent. Elle souffle dans un long bout de bois, et accompagne sa musique en rythme avec un petit sac rempli de riz qu'elle vient taper dessus.

— Elle, c'est Adèle, et elle joue du « Didgeridoo ». C'est un instrument aborigène, et quand je vous dis que je passe des heures ici, c'est très souvent pour l'écouter jouer…

Christoph s'assoit devant elle, aussitôt suivi par Marina et François-Xavier. Ils y restent dix bonnes minutes, et à la fin d'un morceau, Christoph lui lance un sourire qu'elle lui rend, puis se lève :

— Bon, il fait faim ! Pas pour vous ? Allez, on y va.

À leur grande surprise, ce n'est pas vers l'escalator que Christoph les emmène, mais un peu plus loin sur le côté gauche du centre.

— Flunch ! On y mange très bien, pour pas cher, et c'est légumes à volonté… J'en ai besoin !

Marina et François Xavier sourient à la vue de Christoph qui se tapote le ventre. Ils s'engagent sur l'escalier qui les fait descendre au sous-sol, puis passent les portes et prennent chacun un plateau.

— Ce que j'aime ici, c'est que l'on croise de tout : des ouvriers faisant leur pause du midi, des classes d'écoliers avec leurs instituteurs, des papas divorcés emmenant leurs enfants dont ils ont la garde…

Il continue d'énumérer tous les attraits qu'il trouve à ce restaurant simple en s'insérant dans la file d'attente de la rôtisserie.

— Moi, je suis un viandard…

— Moi je vais prendre un plat du jour en revanche, on se retrouve à la caisse ?

— Bien sûr madame ! C'est pour ma carte bleue, je vous l'ai dit.

François Xavier suit Marina sans un mot, discret. Celui-ci n'est pas habitué à ce genre de situation. Il apparaît comme un ami de l'actrice, et les regards dans leur direction en disent long. Elle-même le tutoie désormais, les rapprochant encore un peu plus.

— Et toi François Xavier, tu bosses dans une banque c'est bien ça ?

— Oui, mais j'en ai marre. Je crois que je ne suis pas fait pour ça… En fait, j'ai commencé comme bénévole dans une association de défense des consommateurs, et là maintenant, j'ai l'impression que c'est moi qui les baise… C'est même plus qu'une impression. C'est ça. Je baise les pauvres gens, jamais ceux qui les baisent. C'est d'ailleurs la politique de mon agence, et de toutes les agences de toutes les banques dans le monde. Les banques font beaucoup plus d'argent sur les gens à découvert que sur les gros portefeuilles, alors la ligne directrice de mon patron, c'est « Votre boulot c'est de les plomber encore plus, sans qu'ils le voient ».

— Ouais, je vois… Effectivement, t'es pas fait pour ça. Ça aussi je le vois…

Elle allait lui poser la question de Dieu, et l'intérêt qu'il représente pour lui, puis se dit finalement que le sujet sera de toute façon abordé à table. C'est la raison de leur présence ici. Tous les trois se retrouvent à la caisse, et Christoph tient un plateau rempli de nourritures grasses. Un jarret de porc, une grande assiette de charcuterie, trois petits pains et deux mille feuilles comme dessert. Un grand pichet de vin rosé débordant presque.

— Oui, j'ai faim… Un petit sourire, comme pour s'excuser.

Une fois la caisse passée, les légumes qui finiront de remplir leurs assiettes s'offrent à eux sur un grand présentoir. Encore une fois, Christoph a préféré les frites et les pommes dauphines aux légumes verts, puis finit par recouvrir le tout d'une énorme louchée de sauce au poivre. Ses deux invités le regardent, et c'est en s'assoyant à une table, le plus loin possible du reste des clients que Marina lui pose cette question :

— Avec tout ce cholestérol, vous ne vous faites pas de soucis pour votre cœur ?

— Nous allons y venir.

Il regarde maintenant François Xavier. Celui-ci a une assiette de crudités comme entrée, puis du poisson haricots verts comme plat de résistance, pour finir par une salade de fruits en dessert.

— Jeune homme, pourquoi croyez-vous en Dieu ?

— Je n'ai pas dit que je croyais en Lui. J'ai cependant de bonnes raisons de ne pas le comprendre s'Il existe.

— Dites-nous-en plus.

Marina en retrait jusque-là s'insère dans la discussion.

— Oh je pense que c'est évident. Il t'a pris quelqu'un, enfin s'Il existe…

— Oui, ma sœur. Au début, je me suis dit qu'Il n'existait pas, ensuite et avec le temps, je me suis reposé cette question : s'Il existe, pourquoi m'a-t'Il fait ça ?

Oui, s'Il existe j'ai de bonnes raisons de ne pas le comprendre…

Christoph reprend après une longue inspiration :

— Eh bien moi c'est pareil… Enfin presque. Ce serait la même chose, mais dans le sens inverse. Je vous ai dit, lors de la conférence : « Un physicien ne peut se permettre que ses calculs soient embrouillés par sa foi en un créateur surnaturel. » Eh bien, ce n'est qu'une partie de la vérité. J'ai sorti cette phrase toute faite, que j'ai d'ailleurs entendue dans un film, pour couper court à tout débat sur le sujet. En ce qui me concerne, s'Il existe, j'ai de bonnes raisons de l'adorer. Je suis né avec une malformation cardiaque. Le genre de truc qui vous donne une espérance de vie d'à peine… 40 ans, pas plus. Lorsque j'en ai eu 30, les médecins m'ont alarmé sur mon état… En gros, mes jours étaient comptés, et… Je me suis réveillé un matin avec un autre cœur. Ne me demandez pas comment cela est possible, le fait est que cela est arrivé. La malformation avait disparu, et plus étrange encore… Ce cœur n'était pas le mien, c'est sûr. Comme une greffe que l'on m'aurait faite durant mon sommeil, sans cicatrice sur mon thorax, rien… Alors voilà, Dieu s'Il existe a rallongé mon espérance de vie… Suffisamment pour que mes travaux sur la mécanique quantique aillent assez loin pour… remettre son existence en question… C'est paradoxal, non ? Il m'aurait dit : « Je te laisse la vie, et en échange tu me décrédibilises aux yeux de l'humanité » Incroyable mais vrai. C'est exactement ce qu'Il m'a dit à travers son action, encore une fois s'Il existe… Du moins, c'est comme ça que je l'ai compris. Je n'ai jamais parlé de ça, à personne. Vous êtes les premiers. Je vous demande maintenant de le garder pour vous. Je vous le demande de toute mon âme. Merci.

— Comment ça ce cœur n'était plus le vôtre ? Vous avez subi une greffe à l'hôpital ?

— Oui et non. J'ai subi une greffe, mais… Dans mon sommeil. Voyez-y la main de Dieu, ou quelque chose qui nous dépasse…

— Comment ça ? Je ne comprends pas…

— Eh bien le fait est que ce cœur qui s'est retrouvé dans ma poitrine a été greffé, mais pas par des chirurgiens…

— Mais par qui alors ?

— Eh bien… Dieu, pourquoi pas ? Je veux dire : les instances médicales sont formelles. Ce cœur n'est absolument pas celui avec lequel je suis né.

Marina et François Xavier sont sous le choc. Les paroles de Christoph sont sans appel. Ils se regardent tous les trois, puis Christoph porte le premier coup de fourchette à son plat composé de graisse et de cholestérol. Il reprend la bouche pleine :

— Je n'ai plus de problème de santé depuis, alors je fais la nique à tout ça.

C'est sur cette ultime phrase que tous commencent maintenant à manger, en silence et l'appétit quelque peu coupé. Vingt minutes plus tard, Christoph engloutit ses deux mille feuilles en quatre bouchées devant ses convives qui semblent avoir un haut-le-cœur.

— Bien, Marina, François Xavier, ce fut un plaisir de vous avoir à ma table.

Marina reprend en lui montrant sa carte :

— Je peux vous joindre aussi…

— N'hésitez surtout pas, mademoiselle ! D'ailleurs, appelez-moi sur le champ, comme ça j'aurais votre numéro moi aussi.

Il se lève, puis tend une main à François Xavier resté assis, encore sous le choc de cette révélation :

— Jeune homme, portez-vous bien. Ne laissez pas ce que je vous ai dit vous embrouiller l'esprit. Écoutez votre cœur, moi j'écoute le mien !

Il s'éloigne en riant seul de cette ultime blague, les laissant sans voix. Il se dirige vers la sortie puis prend la direction des petites rues. Il marche, comme pour digérer, mais pense surtout à son entrevue de ce soir avec le Doyen. « Ça y est, je vais savoir… ou du moins, je vais en savoir plus ». Il arrive rue Sainte-Croix de la Bretonnerie, flânant, puis tourne rue des Rosiers, s'abreuvant de ce parfum de joie qui règne toujours dans ce petit quartier juif de Paris. Il marche encore et encore, puis la musique de Star Wars vient le sortir de ses songes. Il regarde son téléphone. Celui-ci n'a sonné que deux fois avant que son interlocuteur ne raccroche. C'est elle. Il recompose le numéro.

— Marina ? Oui ! Alors voilà, ce soir je suis au Fouquet avec des amis, ne vous inquiétez pas… Nous ne serons pas que tous les deux ! Et donc, vous l'aurez compris, j'aimerais beaucoup que vous vous joigniez à nous… Oui, le sujet sera la physique aussi.

Il marche encore, puis raccroche sur un « super, à ce soir ! ». Il arrive sur les quais de Seine, puis s'attarde chez les bouquinistes qui les longent quand son téléphone sonne à nouveau.

— Oui mon Philou ! Je suis au niveau de la Samaritaine, je bouge pas et je t'attends !

Il regarde les ouvrages et les magazines anciens. Un Paris Match de 1968, parlant des évènements entre lycéens et force de l'ordre, puis le repose pour celui du 17 janvier 1980. Les stars du moment en couverture, les potins de l'époque… Il dirige maintenant son regard sur la seine. Des bateaux-mouches avec leurs touristes se croisent et se recroisent… Un klaxon. Il se retourne et aperçoit Philippe à moitié sorti par la fenêtre ouverte de la porte arrière d'un taxi.

— Viens ! On part d'ici !

Philippe sort du taxi puis s'adresse au chauffeur. Il se retourne vers Christoph qui comprend sur le champ, et se dirige maintenant vers eux. Il sort son portefeuille et lui tend un billet de cent dollars. Les deux amis marchent maintenant d'un pas plus rapide, rien à voir avec celui de Christoph, celui qui l'a mené jusqu'ici.

— Bateaux Mouches mon filou ?

— Oh que oui ! Avant faut trouver une épicerie pour les médicaments…

Ils trouvent une supérette sur leur chemin, puis en sortent avec un pack de bières et deux bouteilles de vin rouge bon marché.

Philippe ouvre son sac à dos pour ranger le tout à l'intérieur, puis ils prennent maintenant la direction du pont de l'Alma, d'où les départs pour les bateaux-mouches sont calés toutes les dix minutes. Une fois à bord et bien avant que celui-ci ne sillonne le fleuve, les deux amis sont debout sur la proue et appuyés contre le garde-fou. Philippe pose le sac à terre, puis sort deux bières qu'il ouvre avec son briquet pour ensuite en tendre une à Christoph :

— Allez mon gars !

Ils trinquent avec un sourire espiègle sous les regards des touristes, et aperçoivent la berge s'éloigner en même temps. Christoph regarde sa montre : 14 h 32. « Dans moins de quatre heures, je suis chez le vieux. »

La cathédrale Notre Dame, la tour Eiffel, tout les émerveille. Ils connaissent Paris, oui, et aussi bien l'un que l'autre d'ailleurs, mais ils profitent encore de ces monuments comme s'ils étaient de simples touristes, arrivés à Paris pour la première fois seulement la veille. Star Wars vient une nouvelle fois les sortir de leur béatitude, et ce au moment où Philippe était occupé à ouvrir deux nouvelles bières.

— Oui David ? Je sais, 18 h, mais non… Alors, envoie-moi l'adresse par SMS, je prendrai un taxi. Merci mon poulet ! Je t'aime, et Philippe aussi il t'aime, et il est désolé pour l'ascenseur…

David n'aura pas entendu cette dernière phrase, coupant court à ce monologue de Christoph en raccrochant bien avant. Leur deuxième bière à la main, ils s'abreuvent de ça, du paysage et de cette boisson. Inutile de parler, même du programme de leur après- midi. Ils savent où aller, c'est évident. Une fois le bateau à quai, ils en descendent, et bien que ne titubant pas encore, les effets de l'alcool commencent à se faire sentir. Ils marchent, flânent jusqu'à la cathédrale de Notre Dame puis prennent soudainement la direction du métro « Cité ». Ils s'y engouffrent par les escaliers, puis regardent le plan.

« Faut changer à Strasbourg St Denis jusqu'à République, et après c'est direct ». Ils achètent leurs billets, puis une fois sur le quai, Philippe sort deux autres bières de son sac à dos. Ils commencent à boire, chacun d'une longue gorgée lorsque le métro arrive. Ils montent, et les voyageurs qui s'y trouvent déjà par dizaines les prennent tout d'abord pour des SDF. Une bière à la main pour les deux, un costume sans veste ni cravate, et à la chemise sortant de son pantalon pour Christoph. Un petit pull rouge moulant et un jean délavé, laissant apercevoir le haut de la raie des fesses pour Philippe. Ils s'assoient maintenant, et un accordéoniste monté en même temps qu'eux commence à jouer. Ils le regardent, émerveillés, quand celui-ci leur sourit sous l'air de « la valse d'Amélie Poulain ». Ils chantent avec lui en onomatopée. Arrivés à Strasbourg Saint-Denis, Christoph lui tend un billet de cent dollars devant des passagers médusés. « Non, ce ne sont pas des SDF, ou alors c'est un faux billet ». Ils marchent dans les longues allées, et tentent de repérer leurs chemins en levant des têtes sur les panneaux de correspondances.

« C'est par là ». Arrivés sur le nouveau quai, ils jettent leurs bières dans une poubelle puis s'assoient sur un banc. Christoph tourne la tête au moment où ils arrivent, et cherchant visiblement leur chemin, il se lève et part dans leur direction :

— Tiens, tiens… Adriano c'est bien ça ? Et le petit Mathieu ?

— Oui… Comme on se retrouve.

— Vous êtes perdus ?

— Oui en fait… J'ai promis de l'emmener à la Géode, au parc de la villette, mais là… On arrive de la station Rambuteau, on a mangé au Flunch et… pour le changement on est un peu perdu.

Adriano tient Mathieu par la main, et celui-ci tente de se cacher derrière son père.

— Tu te souviens du monsieur ? Papa a discuté avec lui tout à l'heure ?

— Oh ! il se fiche pas mal de moi ! Ce qu'il veut c'est aller voir les étoiles à la Géode…

Christoph se penche vers Mathieu avec un sourire :

— Ton papa il t'a promis que tu irais voir les étoiles à la Géode, mais là il est perdu !

Christoph regarde le plan, puis se retourne vers Adriano :

— Vous pouvez prendre la ligne 12 jusqu'à Porte de la Chapelle, et après vous prenez le tramway. Là, vous restez sur la 4 et vous vous arrêtez à Marcadet pour la 12.

— Merci Professeur !

— Dites donc, vous me suivez ou quoi ? J'étais au Flunch pour déjeuner moi aussi !

— Ah… Eh bien non, à vrai dire on ne vous a pas vu…

Le métro en direction du Père Lachaise arrive et Christoph les salue :

— Eh bien bonne continuation à tous les deux !

Il accompagne sa phrase d'une main posée sur la tête du petit Mathieu. Une décharge électrique, de l'intérieur et au niveau de son cœur, lui fait avoir un réflexe de recul.

Adriano prend Mathieu par la main puis s'éloigne.

— Merci beaucoup, au revoir.

Christoph reste debout, immobile et les regarde s'éloigner. « Wow… Il y a longtemps que mon cœur ne m'avait pas fait ça… En fait, celui-là ne me l'a jamais fait. »

Philippe l'appelle maintenant avec insistance, en tentant de maintenir les portes ouvertes sous la sonnerie hurlante de fermeture.

— Bouge-toi l'cul !

Christoph court maintenant, et il rentre dans la rame comme il le peut, sous les bras de Philippe qui se bat avec la force pneumatique des portes.

— Putain, t'es resté dix secondes la truffe au vent ! Tu m'entendais pas ?

— Si, si, tu vas pas m'faire chier ! T'as fait du sport mon poulet !

Ils s'assoient à nouveau, et Philippe sort les deux dernières bières de son sac à dos. Encore une fois, les voyageurs qui les ont découverts à la dernière montée semblent les prendre pour des SDF. Philippe boit une gorgée puis se tourne vers Christoph.

— C'était le mec de tout à l'heure, celui qui a parlé avec son gosse dans les bras pendant ta conférence au Ritz ?

— Ouais. Ils étaient paumés. Ils vont au Planétarium, à la Géode.

Arrivés à la station Père Lachaise, ils montent les marches puis aperçoivent le grand mur de délimitation du cimetière.

— On va boire un coup avant ?

— Oh que oui ! En plus, il faut que je recharge mon téléphone si on veut avoir de la musique... Oh putain, je ne sais pas si j'ai mon chargeur.

Philippe pose son sac à terre puis l'ouvre, et y plonge une main stressée en fouillant le fond. Il s'arrête en regardant Christoph :

— Attends... Oui c'est bon, je l'ai... ouf !

Ils entrent dans le premier bar qu'ils croisent sur leur chemin, puis s'assoient à une table.

— Celle-là, y a une prise à côté.

Il s'empresse d'y brancher son chargeur.

— Et voilà…, du 220 volts dans le trou du cul…

Ils commandent deux bières à la serveuse, quand la musique de Star Wars vient une nouvelle fois les déranger. Christoph attrape son téléphone.

— Oui David ? Attends je regarde.

Il regarde son téléphone, puis après une petite manipulation le remet à son oreille :

— Oui c'est bon, j'ai reçu ton SMS, j'ai l'adresse. Quoi ? Mais non on ne picole pas ! On est sage comme des images… Philippe à pissé dans le métro, à part ça tout va bien… Tu veux que je te le passe ?

Philippe écoute, amusé, puis prend le téléphone :

— Allo ? Allo ? Il a raccroché ce con…

Christoph reprend son téléphone puis regarde l'heure : 15 h 46.

Ils boivent leurs bières rapidement et sans soif, puis se lèvent d'un bon. Philippe débranche le chargeur de son téléphone, et constate que celui-ci a suffisamment de batterie. Ils prennent la direction de la grande entrée du cimetière, puis s'arrêtent sur le plan, et Christoph pose le doigt sur un emplacement précis.

— OK, c'est là, mais de toute façon j'y retournerais les yeux fermés.

Philippe le suit, les yeux sur son téléphone à chercher de la musique. Leur musique. Celle qu'ils ont pris l'habitude d'écouter sur la tombe de ce grand monsieur comme pour lui rendre hommage, toujours un verre de vin à la main. Au début de l'allée, Philippe la repère le premier, et d'un index tendu il en montre maintenant la direction à Christoph. Arrivés à sa hauteur,

Philippe pose son téléphone sur la sépulture de Gilbert Bécaud puis se retourne vers Christoph :

— T'es prêt, j'y vais ?

— Attends ! J'ouvre la bouteille d'abord… T'as pas pris de verres ?

— Oh merde, le con… C'est pas grave, on boira à la bouteille.

Christoph ouvre la bouteille de mauvais vin, puis la porte à sa bouche alors que Philippe appuie sur le bouton lecture de son téléphone :

Il y a tout au long, des marchés de Provence
Qui sentent, le matin, la mer et le Midi
Des parfums de fenouil, melons et céleris
Avec dans leur milieu, quelques gosses qui dansent
Voyageur de la nuit, moi qui en ribambelle
Ai franchi des pays que je ne voyais pas
J'ai hâte au point du jour de trouver sur mes pas ce monde émerveillé ! Qui rit et qui s'interpelle ! Le matin au marrrrrrrchééééééé !

Christoph et Philipe chantent en cœur, bras dessus dessous en se passant la bouteille après chaque gorgée. Le refrain arrive, ils l'accompagnent en rythme avec des claquements de mains pour Philippe, le pied venant frapper le sol et en cadence pour Christoph.

Voici pour cent francs du thym de la garrigue
Un peu de safran et un kilo de figues
Voulez-vous, pas vrai, un beau plateau de pêches
Ou bien d'abricots ?
Voici l'estragon et la belle échalote

Le joli poisson de la Marie-Charlotte
Voulez-vous, pas vrai, un bouquet de lavande…

Les promeneurs sourient, certains même immortalisent l'évènement avec leur téléphone. Tout le monde est gai, joyeux, heureux. La bonne humeur de Christoph et Philippe est contagieuse et beaucoup s'arrêtent aussi, un peu en retrait, ne voulant pas les déranger. Ils sautent maintenant, chantant faux et à tue-tête le dernier couplet, mais qu'importe de chanter faux se disent les curieux ? Le message premier de ce grand poète et chanteur prend tout son sens à cet instant précis, grâce à ces deux grands enfants qu'ils sont restés. Christoph leur dirait qu'il est prix Nobel de physique qu'ils ne le croiraient pas. Christoph s'en fout d'ailleurs, il se fout de tout du moment où on le laisse chanter à haute voix et bouger, danser, sauter et transpirer comme jamais.

— Ça va ? Ah ! t'es déjà claqué ! Je me marre !

Christoph s'appuie contre la tombe, et tente de reprendre sa respiration puis se retourne vers Philippe :

— Quoi ? Je suis allé jusqu'au bout comme d'habitude !

— D'habitude, c'est moi qui crache mes poumons, et toi tu la remets toujours pour me faire chier…

— Eh ben pas aujourd'hui… On en a d'autres à faire de toute façon… T'as « Light my fire ? » Comme ça on va directement sur la tombe de Jim Morrison et tu vas voir si je suis claqué… On l'entendra moins ta grande gueule !

Ils se remettent à marcher sous les applaudissements des quelques badauds restés là. Philippe se tourne vers eux, et avec un grand sourire leur fait une révérence. Il finit par s'en rapprocher en tendant la main, comme pour faire l'aumône. Christoph respire mieux désormais, et il regarde son ami d'un air amusé. Celui-ci revient, et lui montre fièrement une pièce d'un euro.

— On devrait monter un duo ensemble ! Tous les jours, on vient et puis ça nous paye la bibine... Merde j'ai oublié la bouteille !

Il court jusqu'à la tombe de Bécaud, et Christoph qui continue sa marche repense à cette décharge électrique de tout à l'heure, lorsqu'il a touché la tête du gamin. « Putain c'était quoi ce truc... ? ». C'est avec cette question en tête qu'il arpente les allées du cimetière en compagnie de son ami, mais il n'y est plus. Il s'est passé quelque chose, c'est sûr. Son cœur qui lui a dit « Oh, je suis là, dans ta poitrine ! » lorsqu'il a touché la tête du gamin, et ensuite son essoufflement. « Je ne suis pas immortel alors... ». Il y croyait pourtant de plus en plus au fil des années. « Je suis l'élu se disait-il parfois ». Mais il se reprenait toujours avec cette question « l'élu de qui ? de Dieu ? Je ne crois pas en Dieu, Dieu n'existe pas ».

— Alors, ça va mieux ? On va faire coucou à Morrison ?

Christoph regarde sa montre : 16 h 28.

— Non. On prend un taxi pour le Ritz, je prends une douche et je me change. J'ai le vieux qui m'attend à 18 h.

Il réfléchit à sa question. La question, qu'il se pose depuis toutes ces années. Le Temps. Cette question du Temps se résume à elle seule à l'attente, maintenant. Deux heures et demie à attendre, et il saura ce que le vieux sait. Il s'attend à tout, du moins, s'imagine des choses. Il risque peut-être d'être déçu aussi, peu importe la réponse, réponse qu'il attend depuis toutes ces années, et plus encore depuis ce matin. Les hypothèses les plus farfelues lui étaient venues en tête. L'une d'entre elles par exemple, était que le doyen lui sorte un genre de talisman, un caillou magique, ou autre chose qui à lui seul pouvait vous faire revenir dans le passé où faire défiler le temps. Ils arrivent à l'entrée du cimetière et le taxi qu'avait appelé Christoph est déjà là qui les attend. Passer par le Ritz pour commander un taxi, c'est ce qu'avait fait Christoph, synonyme de priorité pour les agences. Les chauffeurs avaient eux aussi dû se passer le mot. « Le mec il paye cent dollars une course à vingt euros ». Ils devaient même se battre entre eux pour avoir la course et le charger. « En revanche, c'est un gros porc, il pue l'alcool et il lâche des ruines sur la banquette arrière ».

— Y'a pas une chambre pour moi dans ton palace ?

— Tu viens dans la mienne mon Philou ! De toute façon, tu m'y attends. Tu ne viens pas avec moi quand je vais voir le vieux.

Christoph regarde Philippe avec un petit sourire :

— Je vais dire à la réception de bloquer le service d'étage pendant mon absence…

— T'en es bien capable. Et si j'ai faim ?

— Si t'as faim, tu regardes dans le minibar, t'as du whiskey, de la vodka…

— J'ai une grosse faim putain… On s'en jette un dès qu'on arrive ?

— Non, pas moi. Moi je prends une douche, je me rase, je lave mes chicots et je m'habille comme un pape. Je vais la jouer costume sombre et cravate noire.

— C'est quoi cette histoire ? J'veux dire ton rendez-vous ? Ça a l'air important on dirait. Je te vois depuis ce matin… Tout à l'heure dans le métro, et puis t'es ailleurs quoi, tu t'essouffles… T'as pas de problèmes de santé ? Si ?

— Non, non, t'inquiète pas. C'est pour le boulot. C'est capital, c'est ma vie.

Après cette remarque sur sa santé, Christoph ne peut plus le nier : « Il s'est passé quelque chose aussi avec mon cœur, comme si le temps l'avait rattrapé ». Il le sent désormais, ne fait encore pas pleinement attention à lui, mais commence à l'écouter. Celui-ci lui parle désormais, c'est nouveau. Pas à petite voix, on dirait même qu'il hurle, mais de tellement loin... « Oh ! Arrête tes conneries maintenant, ou je te laisse tomber comme l'autre ! » Il repense à son repas du midi. Son assiette, ses assiettes en fait. Son jarret, ses patates, son pinard. Et surtout sa gueule enfarinée lorsqu'il a lâché d'un air supérieur ce qui peut se résumer en « Mon cœur accepte tout, et le vôtre ? Moi je vous emmerde, je bouffe ce que je veux, je bois, je fume et je vous emmerde. Je suis l'élu. » Tellement supérieur, oui tellement supérieur avec cette vanité qu'il a à l'afficher à tout bout de champ se dit-il. Ses conférences où il est le roi, étalant son savoir de génie de prix Nobel de physique, cette façon sûre de lui de draguer ce qui en définitive ne se résume qu'à quelques putes, qui coucheraient plus rapidement avec un de ses billets de cinq cents dollars... « Je ne me goure pas sur toute la ligne, je me suis gouré sur toute la ligne. Pire, j'ai toujours su que je me gourai, et j'ai persévéré dans cette voie en toute connaissance de cause, m'enfermant dans mon mensonge avec ma suffisance et ma fausse modestie. »

— Tu me dis que ça va, mais t'as l'air secoué quand même... Je te vois depuis tout à l'heure, tu respires mal, y a des fois tu mets la main sur le cœur... T'as presque soixante piges mon poto, faut que tu y ailles mollo avec lui.

— Mon cœur... Mon cœur...

— Quoi ton cœur ? T'as mal ? Tu ressens une douleur ou un truc comme ça ?

Parce que là, je te laisse pas aller voir ton vioc, et on va même pas à l'hôtel, on va directement aux urgences ! Ça va ton cœur ? Eh mec ? Ça va ton cœur ?

Christoph porte soudainement ses mains à son cœur en se penchant en avant.

Philippe n'a pas le temps de dire au chauffeur de prendre la direction des urgences que celui-ci, qui s'est retourné, a immédiatement compris la gravité de la situation :

— Y a la Pitié Salpêtrière à côté.

Christoph, toujours penché en avant, lance en gémissant :

— Non ! Ramenez-moi au Père Lachaise je suis foutu !

Quand le chauffeur éclate de rire, Philippe ne parle pas, et c'est le visage blanc qu'il voit son ami se relever, accompagnant le chauffeur de plus belle dans un rire communicatif.

— Tu verrais ta gueule mon Philou !

— T'es vraiment un connard… J'ai chié dans mon froc !

— Pour de vrai ?

Les deux hommes rient de plus belle, devant Philippe qui tourne la tête vers la fenêtre.

— Ho, aller ! Tu vas pas bouder… On dirait David !

— Y a des blagues qui ne sont font pas. C'est tout. Même entre nous. Surtout entre nous. Tu sais qu'il y a des gens que je regarderais mourir avec le sourire, et tu sais aussi que tu n'en fais pas partie. Refais-moi un coup comme ça et c'est moi qui fais une crise cardiaque.

Philippe ne rit pas, et c'est avec une extrême gravité que ces mots sont sortis de sa bouche. Une déclaration d'amour, Christoph le prend comme ça.

— Avec ton fric aussi tu fais chier. Ton fric, ton fric, y a que comme ça que tu existes. Ça et tes putains de conférences. Tu te prends pour Dieu. Tu sais combien de litres de lait je dois vendre pour avoir un billet comme ceux que tu lâches toutes les cinq minutes ? On se voit quatre fois par an, toujours pour faire des conneries, mais le reste de l'année je bosse comme un con à essayer de m'en sortir. Je me lève à cinq heures du matin, je me couche à vingt-deux heures, j'ai pas de week-end, et je prends quand même la peine de te parler sur Skype, quand monsieur me laisse des messages du genre « Tu ne devineras jamais où je suis ! » ou alors « T'as le satellite ? Va sur ZDF, la chaîne allemande, et bien la présentatrice du journal de la matinée je l'ai niquée ! » Moi les seules mamelles que je tripote, c'est celles de mes vaches. Et pour que dalle. Je gagne pas une thune.

— T'as besoin d'argent ?

— Vas-y, continue ! Étouffe-moi avec ton pognon, ton cher pognon ! J'ai pas une thune mais j'ai ma fierté moi. Mes conférences c'est avec mes vaches, et je ne les prends pas pour des connes. Je leur parle, et ouais ! Je parle à mes vaches ! Pas de physique, non, mais je les calme, je les apaise, et... ça te fait rire ? C'est ça ? T'es un sale con. Tu crois que je suis pas au courant pour ton cœur magique ? Mais tout le monde est au courant ! Tout le monde mon pote ! Tu gardes ça comme un secret, genre « c'est entre moi et Dieu », mais sors la tête de ton cul ! Que les médecins aient pu faire un mauvais diagnostic pour qu'après ils ne sachent pas quoi te répondre, eh bien ça, ça te passe au-dessus du cigare ! Non, toi tu préfères continuer à croire que c'est magique !

Christoph ne s'attendait pas à ça. Autant de vérités d'un seul coup, et en plus venant de Philippe. C'est désormais lui qui regarde par sa fenêtre, les yeux rouges. Le silence qui règne désormais dans le taxi n'est pas pour l'apaiser, mais il craint par-dessus tout qu'il ne reprenne de plus belle, et ne lui en mette encore un peu plus dans la figure.

Ils se regardent de temps à autre, mais jamais en même temps. Le chauffeur est muet lui aussi, jusqu'au moment où il vient les sortir de ce pesant silence :

— Nous sommes arrivés, messieurs. Cela fera trente-quatre euros.

Philippe regarde maintenant Christoph sortir un billet de cent dollars pour le tendre au chauffeur puis lui sourit :

— Mais ne change pas. Je t'aime comme ça vieux con.

Philippe allait demander la monnaie cette fois-ci, comme un enfant devant son père qui voudrait montrer à celui-ci qu'il a bien compris la leçon. Ils sortent finalement chacun de leur côté, Christoph sans demander son reste au chauffeur, puis rentrent dans l'hôtel bras dessus bras dessous. C'est dans sa chambre que Christoph constate que ses valises sont là.

— Bon aller, je me lave le cul et j'y vais.

— Alors, dis-moi maintenant : tu vas où ?

Christoph le regarde. Il prend le temps de bien montrer à son ami que ce qu'il va dire sera la vérité :

— Si toi, on t'annonçait que… Non, c'est con, j'allais faire une comparaison avec ton boulot. Alors voilà : tu sais qui est Einstein ?

— Oui, de nom. La relativité c'est ça ?

— Exactement.

— Je ne sais pas ce que c'est, mais je sais qu'Einstein était un génie, et que son truc, là, ça a révolutionné le monde.

— Un peu, oui. Eh bien, je suis sur le point d'apprendre une nouvelle… Encore mille fois plus importante que ça. Et je serai le seul à le savoir. Après je ne sais pas exactement ce que cela va être, ni même ce que je vais devoir en faire, mais je sais juste que ça va être énorme.

Star Wars vient les sortir du mysticisme dans lequel ils étaient plongés, et tous deux se regardent avec un petit sourire, se comprenant. « Cette musique est de rigueur ».

— Allo ? Oui Marina ! Eh bien écoutez, là je pars pour un rendez-vous très important, mais ensuite… Sinon, ce que l'on peut faire avant d'aller au Fouquet, c'est se rejoindre directement à mon rendez-vous, et après on se prend un apéro dans un petit parc avec Philippe… Oui ? Super, à la Parisienne alors ! Prenez une bouteille de vin, et des biscuits salés et puis… Des olives oui très bien, j'adore ça les olives ! À tout à l'heure, je vous appelle, et je vous envoie l'adresse par SMS.

Il raccroche son téléphone puis regarde Philippe en souriant, mais celui-ci le prend de vitesse :

— Je viens avec toi alors ?

— Si tu veux. On se retrouve après avec l'actrice, tu sais, l'autre là, et puis on se prend un apéro tranquille dans un parc à côté. Elle ramène des olives qu'elle a achetées en Provence et puis elle va acheter une bouteille de rouge aussi.

— Ça me va. Prends ta douche et on y va alors.

Christoph se déshabille devant son ami, puis prend la direction de la douche. Il entre dans celle-ci, et une nouvelle douleur dans la poitrine le fait s'arrêter net. « Merde… »

Philippe allume la télé et se couche sur le lit. Il commence à zapper, faisant défiler les chaînes les unes après les autres, puis se lève et ouvre le petit frigo du mini bar. Une bière fraîche. Il retourne sur le lit, puis sa bière à la main, recommence à passer d'une chaîne à l'autre. Un documentaire sur le système solaire semble le captiver, et il pose la télécommande sur le couvre-lit. Il prend l'émission en cours, et il est désormais question de Mars. La planète qui fait rêver les novices comme lui. « Y a-t-il de la vie sur Mars ? ». Voilà le genre de question qu'un érudit de son espèce se pose, sans savoir que l'univers est, du moins de ce que les physiciens en savent, infini. Tout y passe, de la composition de son atmosphère jusqu'aux traces des cours d'eau qu'il devait y avoir en abondance il y a plusieurs millions d'années. « Plusieurs millions d'années putain ». Cette échelle de temps lui semble incroyable. Il n'entend plus que la télé, la musique grave en fond sonore accompagnant les physiciens qui prennent la parole, et ça y est, la Lune pour finir, la Lune n'est pas une planète mais un astre. Il l'apprend, ne s'y attendait pas. Neil Armstrong y a marché dessus en 1969, ça, il le savait, et maintenant une vue d'ensemble du système solaire... Wow... « Nous sommes petits là-dedans... » La taille du système solaire dans notre galaxie « merde alors » notre galaxie par rapport aux autres « Oh putain... » L'immensité de l'univers, ça y est « Oh nom de Dieu ». La musique de Star Wars. Il prend le téléphone de Christoph, que celui-ci avait posé sur le petit meuble à côté de ses vêtements. Il regarde l'appelant, puis décroche :

— Ouais mon amour ? Il est sous la douche, je te le passe.

Philippe se lève et se rend à la porte de la salle de bain :

— Christoph, c'est David pour toi !

— Qu'est-ce qui veut ? Il veut savoir si je me prépare pour aller voir le doyen ?

Christoph entrouvre la porte de la douche, une serviette sur la taille. De la vapeur s'échappe du cadre, et il attrape le téléphone que lui tend Philippe :

— Ouais ? Je me prépare et j'y vais.

Il sort de la salle de bain, puis enlève sa serviette, se retrouvant nu devant Philippe.

— Ne t'inquiète pas putain... Tu crois franchement que je vais rater ça ?

Il raccroche son téléphone puis le jette sur le lit. Il rentre à nouveau dans la salle de bain puis ferme la porte. Il essuie la buée qui s'est formée sur le miroir et se regarde.

Une main sur le cœur, il se dévisage. « T'es un con, tu l'as toujours été, et t'es en train de le payer. » Cette douleur ne le quitte plus désormais. Il va devoir apprendre à vivre avec, et « pourvu que le temps qu'il me reste à vivre soit suffisant pour arriver chez le doyen. ». Il sort de la salle de bain et aperçoit Philippe avec une deuxième bière à la main. Un sourire dans sa direction, puis il prend sa valise qu'il pose sur le lit. Une grimace accompagne son geste, et Philippe n'ose pas lui faire une remarque, comme s'il se sentait coupable. Ce qu'il lui a dit tout à l'heure, il le regrette un peu à vrai dire. « Et si j'avais débloqué quelque chose en lui ? Dans son inconscient ? Quelque chose qui faisait que son cœur tenait bon jusque-là ? ». Il le regarde enfiler ses slips et chaussettes, puis choisir un costume en adéquation avec sa fonction de scientifique et homme public qu'il est. Sombre. Une chemise neuve d'un blanc éclatant, qu'il enlève de son emballage. Plus il l'observe s'habiller, plus Philippe a honte de lui avoir parlé ainsi tout à l'heure. « On ne parle pas comme ça à un homme comme ça », se dit-il. Un homme d'une classe folle, d'une élégance à couper le souffle, connu dans le monde entier, et à qui les plus grands scientifiques de la planète demandent des conseils et son avis sur des sujets comme celui qu'il vient de voir sur Arte. Christoph retourne dans la salle de bain, et cette fois-ci, la buée s'est dissipée, laissant apparaître au premier regard un autre homme. Il se badigeonne les mains d'After Shave, puis se les passe vigoureusement sur le cou et les joues. Il se regarde encore, puis apporte une nouvelle fois une main à son cœur. Il peut entendre celui-ci battre la chamade dans sa poitrine. Lui qui pourtant a toujours été si discret et serviable, héroïque même, à supporter ses excès et son mode de vie de salaud. Ce cœur semble aujourd'hui lui dire merde. « Je vais tenir jusque chez le doyen, car moi aussi j'ai envie de savoir ce que je fous dans la carcasse d'un connard comme toi, mais après je m'en vais et je te laisse pourrir ». Il va pour sortir de la salle de bain, puis se rattrape sur le cadre de la porte avant de le dépasser. Une douleur, encore une. Toujours plus forte à chaque fois. Il inspire profondément, puis masque totalement cette expression de douleur, comme pour protéger Philippe.

— On y va mon chéri ? T'es prête ?

Philippe s'était lui aussi habillé. Étant de la même corpulence que Christoph, il lui avait emprunté des vêtements, mais beaucoup plus simples ceux-là. Ils se dirigent vers l'ascenseur, puis le garçon à son bord les accueille en souriant avec un « Bonsoir Messieurs ». Arrivés au rez-de-chaussée, les deux amis prennent la direction de l'entrée où un taxi les attend déjà.

— Merde ! J'ai oublié mon portefeuille…

— Eh bien, ce sera pour moi cette fois-ci. De toute façon, je suis déjà à découvert de cinq milles…

— On va en parler sérieusement Philippe, et n'y voit aucune… Enfin, t'as compris.

— Non, j'ai pas compris. Où tu veux en venir ?

Les deux hommes se sourient puis montent dans le taxi. Christoph sort son téléphone puis montre l'adresse au chauffeur. Celui-ci acquiesce d'un signe de tête, puis actionne le compteur. La douleur de Christoph s'est ravivée lorsqu'il s'est exclamé pour son portefeuille, et cette fois-ci, les traits tirés de douleurs largement apparents sur son visage poussent Philippe à lui en parler :

— T'es sûr que ça va ce coup-ci ? T'as vraiment une petite mine…

— Mais oui, va. J'ai trop bouffé ce midi, comme d'habitude d'ailleurs, et cet après- midi j'ai fait le con avec un con dans un cimetière…

Un sourire échangé avec Philippe ne vient cependant pas le rassurer complètement, et il passe le plus clair de son temps à le regarder alors que celui-ci a les yeux à l'extérieur.

— Voilà messieurs. Ça vous fera vingt-sept euros.

Philippe sort un billet de cinquante euros de son portefeuille qu'il tend au chauffeur, puis lance d'un ton hautin :

— Gardez la monnaie.

Les deux amis rient de bon cœur, puis Philippe interroge :

— Ça va ? C'est bien comme ça que tu fais ? En revanche, moi je n'ai pas lâché une caisse en sortant, je n'ai pas les moyens !

C'est en fou rire désormais qu'ils se dirigent vers l'entrée de l'immeuble où Marina les attend déjà. Elle sourit à leur vue, comprenant qu'une nouvelle blague graveleuse venait de fuser. Elle tient un sac en plastique dans une main et un bocal d'olives vertes dans l'autre.

— Ça rigole tout le temps avec vous ? Vous n'avez pas besoin de moi on dirait...

— Oh non ma chère ! Christoph et moi lorsque l'on est ensemble, nous n'avons besoin de personne...

— Je dis ça, je suis comédienne et humoriste aussi, alors...

— Ah oui merde... Je vous promets qu'avant la fin de la semaine j'aurais vu au moins un de vos films, lui répond Christoph.

Il regarde sa montre : 17 h 48. Il lève maintenant les yeux sur le bâtiment de trois étages :

— Bon, eh bien j'y vais... Face à mon destin ! Et vous en attendant, pas de bêtises... OK ?

Tous deux lui répondent en même temps, mais Philippe couvre la petite voix fluette de Marina et accompagne sa réponse d'un salut militaire :

— Yes Sir !

— Je reviens vite. Ne touchez pas à la bouteille avant mon retour.

Christoph monte les marches en repensant à ce qu'il vient de leur dire. « Je reviens vite » ou encore « je verrai un de vos films avant la fin de la semaine ». Rien n'est si sûr maintenant. Il s'arrête au deuxième étage et s'assoit sur une marche. Une douleur encore plus forte cette fois-ci. « Ah merde… Faut que je monte, faut que je monte… » Il se relève, puis tombe aussitôt sur le dos. Il sanglote désormais. Bien plus que la douleur qui lui déchire la poitrine, c'est de ne pas pouvoir se rendre au troisième et dernier étage de ce vieil immeuble qui le met dans cet état.

Il est couché, tentant néanmoins de reprendre son souffle. Il parle à son cœur. « Allez, allez… ne me lâche pas maintenant… après si tu veux mais pas maintenant… »

Il entend une porte s'ouvrir au troisième étage. Des petits pas, sans résonance aucune sur les marches en bois d'époque. Il aperçoit une silhouette d'enfant au-dessus de lui.

— Il faut te relever monsieur. On t'attend en haut. Il faut te relever monsieur.

Le petit Mathieu insiste et prend la main de Christoph. Au contact des deux paumes, son cœur arrête de s'emballer aussitôt. Ses yeux se désembuent aussi. Il voit clairement ce petit garçon tenter de le relever, en le tirant vers le haut comme pour le mettre debout. Christoph se sent bien. Merveilleusement bien. Il se relève maintenant, puis regarde Mathieu. Celui-ci lui sourit puis lui adresse la parole :

— Je suis allé voir les étoiles au Planétarium à la Géode, et y en avait beaucoup ! Et puis tu sais, ton cœur tout neuf c'est moi qui te l'ai donné ! Je l'ai pris à un monsieur très malade… Il avait le cancer partout et on m'a dit que c'était très grave…

Christoph lui sourit. Il se croit dans un rêve. Non, il ne rêve pas se reprend-il.

Ils montent maintenant les dernières marches, Mathieu en tête, puis arrivent dans le cadre de la porte de l'appartement. Un temps d'arrêt, puis Mathieu le regarde :

— Bah t'as pas peur monsieur, si ? C'est beau dedans…

Il le tire maintenant. Une fois à l'intérieur, Christoph aperçoit le doyen assis dans un fauteuil. Adriano est debout contre la fenêtre aux volets fermés. Un vert brillant semble éclairer la pièce. Christoph lève les yeux au plafond : une main verte phosphorescente, et coupée net au niveau de l'avant-bras lui fait des signes. Mathieu ferme la porte.

***

Marina et Philippe attendent en regardant la bouteille de temps à autre. Un simple coup d'œil entre eux « On n'y touche pas ». Voilà deux bonnes heures qu'ils discutent, et c'est avec des bières que Philippe est allé acheter à l'épicerie d'à côté qu'ils l'attendent désormais. Dans le couloir, juste avant le perron, Mathieu lâche la main de Christoph puis rentre. Il disparaît dans les escaliers. Christoph se retrouve dans la petite rue, son cœur recommençant à battre comme bon lui semble, accélérant, puis ralentissant à sa guise.

— Professeur ! Nous avons décidé de prendre un taxi et d'aller boire notre apéritif sur le Champ de Mars… ça va Christoph ?

— Oui, oui, très bien.

Christoph s'assoit sur le trottoir, un sourire pour Marina et Philippe.

— Putain… Faut que je vous dise…

Philippe prend peur.

— Mais quoi ? Tu veux nous dire quoi ?

— Déjà, on ne va pas pouvoir aller au Champ de Mars, mon cœur va lâcher. Il faut que je vous parle maintenant. Asseyez-vous, tous les deux.

— Comment ça votre cœur va lâcher ?

— Asseyez-vous Marina. Toi aussi Philippe, et donne-moi un verre vide.

Philippe s'exécute.

— Je n'ai pas beaucoup de temps, mon cœur va lâcher. Donnez-moi ces olives Marina.

Marina, tremblante et le visage blanc, lui apporte le bocal d'olives. Elle l'ouvre et en propose à Christoph. Celui-ci prend le bocal, puis prend le verre à pied vide qu'il pose à même le sol.

— Quelles sont les trois grandes questions dans la vie ? Enfin, selon moi, mais vous pouvez me croire, je dis la vérité. Il n'y a pas à débattre. Alors ?

Marina et Philippe sont pétrifiés. Rien ne peut sortir de leurs bouches, et Christoph reprend :

— Bien, je vois que je vous pose une colle… Alors je vais les énumérer pour vous.

Il prend une olive qu'il tient en suspension au-dessus du verre :

— Premièrement, la physique. Alors, dans la physique, il y a tellement de choses… Je vais en prendre une au hasard, tiens : la question de l'infiniment petit et de l'infiniment grand, ça vous dit quelque chose ?

Il se tourne vers Marina :

— Savez-vous ce qu'est un neutrino Marina ? Non ? Eh bien, le neutrino… C'est la plus petite particule de matière connue… Vous voyez un atome ? Enfin, celui-ci est invisible à l'œil nu, bien entendu, mais le neutrino est encore immensément plus petit que l'atome. Pour vous donner un ordre d'idée, si tous les océans du monde formaient un atome, et bien le neutrino de cet immense atome ne serait que de la taille d'une goutte d'eau. Nous ne savons pas grand-chose de ce neutrino à vrai dire, si ce n'est qu'il existe. Maintenant, imaginez la taille de l'univers. Celui-ci n'est a priori pas infini, mais simplement en expansion. Toutefois, sa grandeur fait tourner les têtes. Plusieurs centaines de milliards d'étoiles rien que dans notre galaxie, et plusieurs centaines de milliards de galaxies dans l'univers, mais… y aurait-il d'autres univers après le nôtre ? S'associant comme des neutrinos pour former un atome ? Je pense que vous voyez où je veux en venir. Voilà pour ce principe qu'est la physique, avec toutes ses autres questions, bien évidemment. Comprenez juste cela. De son vivant, l'homme ne percera probablement jamais à cent pour cent tous les secrets de la physique.

Il finit sa phrase en laissant tomber une première olive dans le verre, puis lâche d'une voix grave un très distinct « Physique ».

— Maintenant, le Temps. Oh, je sais, vous allez me dire, c'est de la physique aussi… Eh bien non. Je peux vous le dire aujourd'hui. Non. Néanmoins, vous n'êtes pas prêts à entendre ce que j'ai à vous dire à son sujet, alors je vais en rester là pour ce qui est du Temps.

Il regarde Philippe et Marina dans les yeux. Chacun leur tour.

— Bon, je vais quand même vous dire ceci : le temps n'existe pas… du moins pas comme nous le connaissons. Tout n'est que dimension. Tout ce que je peux vous dire, c'est que le Temps est à la fois un frein et une chance.

Il se redresse et regarde au loin.

— Voilà, vous en savez suffisamment pour comprendre la suite.

Il laisse maintenant tomber la deuxième olive dans le verre et accompagne son action sur le même ton « le Temps ». Il semble avoir un haut-le-cœur. « Mon Dieu... » Il se penche en avant et commence à avoir des spasmes « Mon Dieu... mon Dieu... Laisse-moi encore un peu de temps, laisse-moi leur parler de toi... » Marina et Philippe le soutiennent maintenant. Il transpire, tremble, puis prend une dernière olive qu'il tient en suspension au-dessus du verre pour finalement reprendre :

— Dieu existe, oui... Soyez-en sûr. Tous les deux. C'est un fait, mieux, une conclusion... Un résultat mathématique, comme un et un font deux. Maintenant que vous savez ça, sachez qu'il est également impossible que Dieu existe aussi. C'est encore une fois une conclusion scientifique. La physique nous prouve à la fois que Dieu existe, et n'existe pas. Ce qu'il nous reste, c'est la foi. Mais s'il existe en nous avec la foi, est-il vraiment celui que l'humanité vénère ? Je veux dire, si l'on se réfère aux religions, enfin, les principaux dogmes de ces derniers siècles, que ce soit la chrétienté, l'islam, le judaïsme... Est-il vraiment ce que la majorité actuelle des sept milliards d'êtres humains pensent qu'il est ? Je vous le redis : Dieu existe et n'existe pas, et la foi à elle seule répond à cette question qui est propre à chacun. Maintenant que vous savez ça, voilà une autre question à laquelle j'aimerais que vous réfléchissiez... Si Dieu existe, qui de la physique ou de Dieu a créé l'autre ? C'est la plus idiote des questions qu'il m'ait été donné de poser dans ma vie... C'est l'éternelle question de la poule et de l'œuf, mais transposée à Dieu. Je vais vous dire : je sais que Dieu existe, car j'ai la foi, oui, mais qui a créé Dieu ? Ou alors est-ce Lui qui a tout créé ? Imaginez que le Temps, si nous le maîtrisions et s'il existait lui aussi, nous permettait de revenir au commencement... Au début du début... Alors, aussi idiote soit cette hypothèse, Dieu pourrait être créé n'est-ce pas ? Nous-mêmes deviendrions tous des dieux en puissance... Il serait en chacun de nous. Ou alors... Dieu est le seul à maîtriser le temps ? Ce n'est pas grave à la limite. Ce n'est pas grave. Là, je viens de vous parler en physicien, et désormais je vais vous parler avec mon cœur : le problème avec Dieu, ce n'est pas Dieu, mais la totale méconnaissance de beaucoup d'hommes à son sujet. Beaucoup ignorent qui Il est réellement... Maintenant, écoutez bien ce que je vais vous dire : l'homme, avec le temps, et seulement avec le temps, aspire à devenir ce que Dieu attend de lui. Seulement avec le temps. L'homme peut aussi s'égarer, être utilisé, et se radicaliser au nom de Dieu, ou pire... Le combattre sciemment en adorant le mal absolu, ce qui l'exclu de facto de l'humanité ou bien trahi son appartenance à...

Christoph tient l'olive de Dieu au-dessus du verre à pied, puis reprend :

— Dieu est amour.

Soudain, un cri résonne non loin de là. « Allah Akbar ! » (Dieu est grand.) Les trois regards se tournent sur le bar en face d'eux. Des hommes armés y font irruption, et c'est maintenant avec leurs kalachnikovs qu'ils tirent sur les gens attablés en terrasse. L'un d'eux se retourne, et aperçoit Christoph une main en suspension au-dessus d'un verre, avec à ses côtés Philippe et Marina.

Une rafale dans leur direction. Philippe est le premier touché. En plein torse. Marina se retrouve violemment projetée sur Christoph, et son sang coule maintenant en bouillonnant de son crâne explosé sur les jambes du Prix Nobel. Un deuxième crachat de plomb le fait lui aussi rejoindre celui que l'on nomme l'Éternel dans un « tacatacatac » assourdissant.

Ce treize novembre deux mille quinze, les attaques terroristes simultanées dans la capitale feront plusieurs dizaines de morts. Exactement cent trente, du Bataclan au Stade de France, pour finir sur cette petite place du 10ᵉ arrondissement. Lorsque les secours arriveront, ils trouveront, entre autres, les corps de Christoph, Philippe et Marina sur le trottoir. L'olive de Dieu aura disparu tel un neutrino dans un océan de trois sangs différents.

À positif, O négatif et AB.

***

Le fanatisme est un monstre qui ose se dire le fils de la religion.

Voltaire

Les survivants sont hagards. Après l'incompréhension, la terreur et les mouvements de foule, le temps est à l'assimilation de ce qu'ils viennent de vivre : horreur, stupeur, effroi. Des corps sans vie et parfois méconnaissables jonchent le sol et la terrasse de certains bar et restaurant. L'intervention de la police en civile aura finalement eu raison des deux terroristes. Les armes de poing des fonctionnaires ont répondu aux fusils d'assaut qui leur faisaient face, mais seulement au bout de dix interminables minutes. Après le vacarme assourdissant des armes automatiques viennent les plaintes et les cris de douleur des blessés par dizaine. Les secours commencent à arriver mais sont très vite débordés par la situation. Certains anonymes se joignent aux équipes médicales d'urgence, quand d'autres prennent directement les choses en mains en tentant de réanimer les plus touchés.

— Celui-là ! hurle Jacques.

— T'as raison, arrache-lui sa chemise, lui répond Guillaume en s'agenouillant à ses côtés.

Les deux amis tentent, sans le savoir, de réanimer un des terroristes ayant pris part à l'assaut.

***

Karim ne comprend pas tout de suite ce qui lui arrive. Il se regarde maintenant. Par le haut. Décorporé. Il se voit allonger sur le sol, avec deux anonymes s'activant sur son torse à tour de rôle. Il ne ressent aucune peur, aucun stress. Il comprend maintenant que ce corps meurtri et sanguinolent est le sien, mais n'est absolument pas bouleversé de sa situation. Plus loin sur la droite, un fourgon de pompier quitte la place, sirènes hurlantes. Il le suit, toujours en survolant ce qui se résume à un carnage, puis prend maintenant de l'altitude et passe aux abords du sommet de la tour Eiffel. Soudain, un tunnel noir semble l'envelopper, et il s'y engouffre, jusqu'à se retrouver dans un noir opaque, vide. Un point lumineux apparaît maintenant, et il s'y sent aspiré. Plus il s'en approche, plus cette lumière l'entoure. Une lumière remplie d'amour. Cette lumière se positionne derrière lui et l'enveloppe. Karim revoit sa vie. Le bien qu'il a fait autour de lui, il le ressent de façon démultipliée, pareil pour le mal. Ce fameux jour où il a volé quelques pièces dans le porte-monnaie de sa mère lorsqu'il n'avait que six ans, et que celle-ci avait pleuré toutes les larmes de son corps. Il ressent la douleur et la tristesse qu'il lui avait provoquées ce jour-là. Il se sent mal, mais cette lumière l'aime toujours d'un amour inconditionnel. Arrive la revue du carnage. Plus il se juge mal, plus cette lumière l'entoure et le rassure, lui montrant qu'il est le seul à se juger ainsi. « Comment peut-elle toujours m'aimer ainsi après ça, après tout le mal que je viens de faire ? » se demande-t-il. Il se sent maintenant partir dans un nouvel état de conscience, celui du savoir universel. Il comprend tout, tout de suite. À peine Karim se pose une question, qu'il a la réponse aussitôt. Un dernier état de conscience le met devant une réalité, et une vérité implacable : l'unité indissociable de l'univers, de sa matière et de ses règles. Tout le monde fait partie de UN, et la moindre brindille d'herbe en fait partie elle aussi.

C'est UN, c'est l'UN, d'une Unité indissociable.

Je remercie Isabelle Tajine et Anthony Fornasiero.

Imprimé en Allemagne
Achevé d'imprimer en juin 2022
Dépôt légal : juin 2022

Pour

Le Lys Bleu Éditions
40, rue du Louvre
75001 Paris